LA QUÊTE DE DELTORA

Le Lac des Pleurs

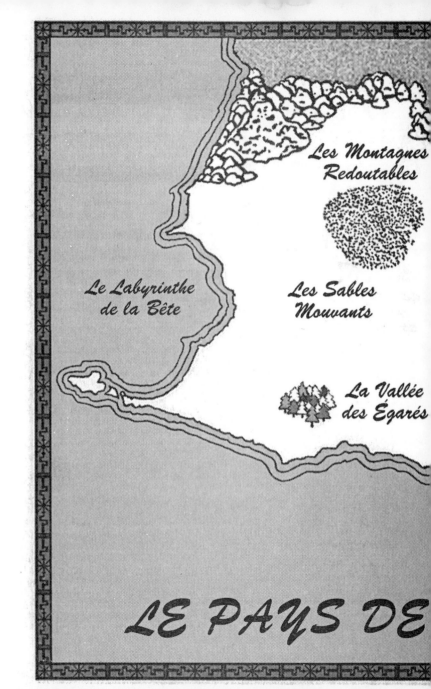

Les Montagnes
Redoutables

Le Labyrinthe
de la Bête

Les Sables
Mouvants

La Vallée
des Égarés

LE PAYS DE

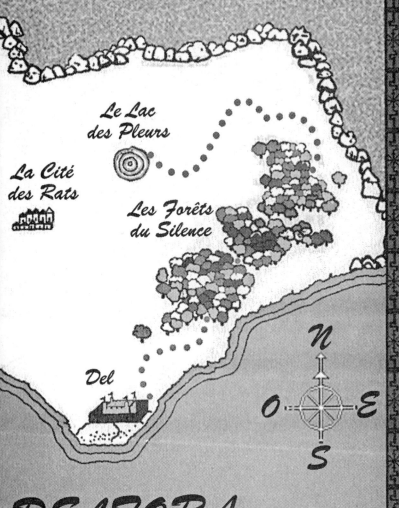

L'auteur

Auteur australien à succès, **Emily Rodda** a publié de nombreux livres pour la jeunesse et les adultes, en particulier la célèbre série « Raven Hill Mysteries » qui lui assure un lectorat de plus en plus important. Elle a reçu plusieurs fois le prestigieux prix Children's Book Council of Australia Book of the Year Award.

La série
LA QUÊTE DE DELTORA :

LA QUÊTE DE DELTORA

Le Lac des Pleurs

Emily Rodda

*Traduit de l'australien
par Christiane Poulain*

Éditions
SCHOLASTIC

Titre original :
Deltora Quest
Book two : *The Lake of Tears*

Loi n° 49 956 du 16 juillet 1949 sur les publications destinées
à la jeunesse : avril 2006

Publié pour la première fois en 2000 par Scholastic Australia Pty
Limited.
Copyright © Emily Rodda, 2000, pour le texte et le graphisme.
Graphisme de Kate Rowe.
Copyright © Marc McBride, 2000, pour les illustrations
de la couverture.
Copyright © Éditions Pocket Jeunesse, département d'Univers Poche,
2006, pour la traduction française.

Édition publiée par les Éditions Scholastic, 604, rue King Ouest,
Toronto (Ontario) M5V 1E1 CANADA
pour la traduction française

ISBN 978-0-545-99264-0

Résumé du livre précédent

Le jeune Lief, âgé de seize ans, accomplissant une promesse faite par son père avant sa naissance, a entrepris une longue quête : retrouver les sept pierres précieuses de la Ceinture magique de Deltora. La Ceinture est l'unique protection contre le maléfique Seigneur des Ténèbres qui, quelques mois seulement avant la venue au monde de Lief, a envahi Deltora et réduit son peuple en esclavage.

Les pierres – une améthyste, une topaze, un diamant, un rubis, une opale, un lapis-lazuli et une émeraude – ont été dérobées afin d'ouvrir la voie au Seigneur des Ténèbres et de lui permettre d'assouvir sa soif de conquête. Désormais, elles sont cachées dans des endroits sombres et effrayants à travers le pays. Ce n'est que lorsqu'elles seront restituées à la Ceinture que l'on pourra retrouver l'héritier du trône de Deltora et vaincre le Seigneur des Ténèbres.

Lief a pris la route avec un compagnon, Barda, un homme autrefois garde du palais. À présent, ils ont été rejoints par Jasmine, une orpheline de l'âge de Lief qu'ils ont rencontrée lors de leur première aventure au cœur des terribles Forêts du Silence.

Dans les Forêts, ils ont découvert les étonnantes vertus du nectar des Lys d'Éternelle Jouvence. Ils ont également réussi à s'emparer de l'une des sept pierres précieuses – la topaze d'or, symbole de loyauté, qui possède le pouvoir de mettre les vivants en contact avec le monde des esprits, et d'autres qu'ils ne connaissent pas encore...

1

Le pont

Lief, Barda et Jasmine cheminaient par un matin frais et radieux. Le ciel était d'un bleu très pâle. Le soleil tombait en oblique entre les arbres, dessinant comme des lingots d'or sur le sentier sinueux. Les trois compagnons avaient laissé derrière eux les sombres terreurs des Forêts du Silence.

Avec un jour pareil, pensait Lief, qui suivait Barda, on aurait pu croire que tout allait pour le mieux dans le royaume de Deltora. Loin de Del, la cité en ruine et surpeuplée, loin des patrouilles des Gardes Gris et de la misère des villageois affamés et terrorisés, on aurait presque oublié que le Seigneur des Ténèbres régnait sur le pays.

Mais cela eût été une grave erreur : si la campagne était magnifique, le danger, tapi, guettait partout sur la route qui menait au Lac des Pleurs.

Lief jeta un coup d'œil par-dessus son épaule et croisa le regard de Jasmine. La jeune fille ne voulait pas emprunter ce chemin et s'était opposée à la décision de Barda et de Lief avec violence.

À présent, elle marchait d'un pas aussi léger et silencieux que d'habitude. Son corps, cependant, était raide et sa bouche formait une ligne mince et dure. Elle avait attaché ses longs cheveux avec une bande d'étoffe arrachée à ses vêtements en loques. Sans le fouillis habituel de ses boucles châtaines, son visage paraissait minuscule et pâle, et ses yeux verts, immenses.

La petite créature à fourrure qu'elle appelait Filli était nichée au creux de son cou et jacassait avec nervosité. Kree, le corbeau, voletait près d'elle entre les troncs, réticent, semblait-il, à demeurer par terre ou à s'éloigner.

À cet instant, Lief prit conscience de leur frayeur.

Pourtant, Jasmine s'était montrée si courageuse dans les Forêts, pensa-t-il en détournant vivement la tête. Elle avait risqué sa vie pour les sauver. Certes, cette région du royaume de Deltora recelait mille et un périls... Mais bon, sous le règne du Seigneur des Ténèbres, le danger était omniprésent. Qu'avait l'endroit de si particulier ? Jasmine leur aurait-elle caché un détail ?

Lief se remémora la dispute qu'avait suscitée le choix de leur itinéraire après leur départ des Forêts du Silence.

— C'est de la folie de traverser le pays vers le nord !
avait insisté Jasmine, dont les yeux lançaient des
flammes. Nous serons en plein dans le territoire de
la sorcière Thaegan !

— Elle y habite depuis toujours, Jasmine, avait fait
observer Barda avec patience. Et vois... dans le passé,
nombre de voyageurs en sont revenus sains et saufs
pour raconter leur périple.

— Thaegan est infiniment plus puissante qu'autrefois ! s'était récriée Jasmine. Le mal aime le mal, et
le Seigneur des Ténèbres a décuplé sa force au point
qu'aujourd'hui elle est aussi remplie de vanité que de
cruauté. Si nous poursuivons notre route vers le nord,
nous courons à notre perte !

Lief et Barda avaient échangé un regard. L'un et
l'autre s'étaient réjouis que Jasmine décide de quitter
les Forêts du Silence pour se joindre à leur quête afin
de retrouver les pierres précieuses de la Ceinture de
Deltora. C'était grâce à elle qu'ils n'étaient pas morts
dans les Forêts. Et grâce à elle encore si la première
d'entre elles, la topaze jaune d'or, brillait désormais
à la Ceinture que Lief portait cachée sous sa chemise.
Les deux compagnons savaient que les talents de
Jasmine leur seraient très précieux pour récupérer les
six pierres manquantes.

Toutefois, durant de longues années, Jasmine avait
vécu en solitaire : elle n'avait pas été habituée à se

plier à la volonté d'autrui et ne prenait pas de gants pour dire ce qu'elle pensait. Lief s'était alors rendu compte que Jasmine la rebelle risquait d'être pour eux une future source d'ennuis.

— Nous sommes certains que l'une des pierres est cachée à proximité du Lac des Pleurs, Jasmine, avait-il rétorqué d'un ton brusque. Nous devons donc aller là-bas.

Exaspérée, la jeune fille avait tapé du pied.

— Bien sûr ! Mais nous n'avons pas besoin de traverser le domaine de Thaegan pour autant. Pourquoi es-tu si entêté, si stupide, Lief ? Le Lac se trouve à l'extrémité des terres de la sorcière. En décrivant un large cercle pour nous en approcher par le sud, nous éviterons qu'elle ne remarque trop tôt notre présence.

— Cela nous obligerait à franchir les Monts Os-Mine et demanderait cinq fois plus de temps, avait grommelé Barda. Et qui sait quels dangers nous réservent les Monts eux-mêmes ? Non. À mon avis, nous devons nous en tenir à notre plan initial.

— C'est aussi le mien, avait acquiescé Lief. Ce qui fait deux voix contre une.

— Faux ! avait protesté Jasmine. Kree et Filli votent comme moi !

— Kree et Filli n'ont pas droit à la parole, avait marmonné Barda, à bout de patience. Jasmine... viens avec nous ou retourne dans les Forêts. La décision t'appartient.

Sur ce, il s'était éloigné, avec Lief sur ses talons. La jeune fille, après avoir hésité un moment, leur avait lentement emboîté le pas. Mais elle fronçait les sourcils et, les jours suivants, la mine de plus en plus grave, elle s'était murée dans le silence.

✳

Absorbé dans ses pensées, Lief faillit percuter Barda. Le colosse avait fait halte sans crier gare à un détour du sentier. Lief voulut s'excuser. Barda, d'un geste, lui intima de se taire et tendit l'index.

Ils avaient atteint la fin du chemin bordé d'arbres : droit devant eux s'ouvrait un profond abîme, dont les escarpements de roc nu rosissaient sous les rayons du soleil. Au-dessus, oscillait un étroit pont de corde et de planches. Et, en barrant l'accès, se dressait un homme gigantesque aux yeux dorés et à la peau sombre, qui tenait un cimeterre à la lame redoutable.

Telle une blessure creusée à même la terre, le précipice s'étirait à droite et à gauche aussi loin que portait le regard. Le vent s'y engouffrait, produisant un bruit doux et sinistre. De grands oiseaux bruns, pareils à d'immenses cerfs-volants, descendaient en piqué sur les rafales, les ailes déployées.

Et, sauf à jouer les funambules sur le pont instable, les trois compagnons ne voyaient pas de moyen de franchir l'obstacle.

Mais devant le gouffre, les traits figés, le géant aux yeux dorés montait la garde.

2

Trois questions

Lief s'était pétrifié, le cœur battant à se rompre, quand Jasmine déboucha du coude du sentier. Il l'entendit haleter à la vue de ce qu'il y avait devant eux.

L'homme aux yeux dorés les avait repérés. Cependant, il ne bougea pas d'un cil, demeurant dans l'attente. Bien qu'il ne portât qu'un pagne pour tout vêtement, il ne tremblait pas dans les bourrasques. Il se tenait si immobile qu'on aurait pu le prendre pour une statue. Mais sa poitrine se soulevait au rythme de sa respiration.

— Il est ensorcelé, chuchota Jasmine.

Kree poussa un petit gémissement.

Les trois compagnons avancèrent à pas prudents. L'homme les observait en silence. Mais quand ils arrivèrent à sa hauteur, à l'extrême bord du terrible gouffre, il leva son cimeterre d'un geste menaçant.

— Nous souhaitons passer, l'ami, déclara Barda. Écarte-toi.

— Vous devrez d'abord répondre à ma question, rétorqua le géant d'une voix basse et râpeuse. Si votre réponse est correcte, vous pourrez passer. Sinon, je devrai vous tuer.

— Sur l'ordre de qui ? demanda Jasmine.

— Sur l'ordre de la sorcière Thaegan, grinça l'homme dont la peau parut frissonner à l'évocation du nom. Il y a bien longtemps, j'ai cherché à la duper, afin de sauver un ami de la mort. Maintenant, en guise de châtiment, il me faut garder ce pont jusqu'à ce que vérité et mensonges ne fassent plus qu'un.

Il les scruta tour à tour.

— Qui désire relever le défi ?

Jasmine se libéra de la main protectrice de Barda et fit un pas en avant.

— Moi.

Toute trace de peur avait déserté son visage. À la place, il y avait une expression que Lief ne déchiffra pas tout de suite. Puis, stupéfait, il se rendit compte que c'était de la pitié.

— Très bien.

Le géant regarda à ses pieds. Une série de bâtons reposaient dans la poussière.

— Transforme treize en neuf, sans ôter un seul de ces bâtons, dit-il durement.

Lief en eut l'estomac retourné.

— C'est malhonnête ! se récria Barda. Nous ne sommes pas des magiciens !

— La question a été posée, rétorqua l'homme dont les yeux dorés ne cillèrent pas. Réponse doit lui être donnée.

Jasmine examinait les bâtons. Tout à coup, elle s'accroupit et se mit à les déplacer, son corps dissimulant ce qu'elle était en train de faire. Quand elle se releva, Lief étouffa une exclamation. Il y avait toujours treize bâtons... sauf qu'à présent on lisait :

— Très bien, déclara l'homme sans changer de ton. Tu peux passer.

Il s'écarta. Jasmine posa le pied sur le pont. Quand Lief et Barda voulurent la suivre, le géant leur barra la route.

— Celui-là seul qui répond à la question a le droit de passer, expliqua-t-il.

Jasmine s'était retournée et les observait. Ses ailes noires éployées, Kree voletait au-dessus de sa tête. Le pont oscillait de façon alarmante.

— Vas-y ! cria Barda. Nous te rejoignons.

Sans mot dire, Jasmine hocha le menton et pivota, se mettant à marcher légèrement sur le pont, aussi insouciante que s'il s'agissait d'une branche d'arbre dans les Forêts du Silence.

— Tu as parlé, c'est donc à ton tour de répondre, reprit l'homme aux yeux dorés en s'adressant à Barda.

Voici la question : Qu'est-ce qu'ont les murs, que ventre affamé n'a pas et qu'on tire aux garnements ?

Il y eut un silence. Puis...

— Les oreilles, déclara tranquillement Barda. La réponse est : les oreilles.

— Très bien. Tu peux passer.

Le géant fit un pas de côté.

Barda ne bougea pas.

— J'aimerais attendre que mon compagnon ait répondu à sa question. Comme ça, nous franchirons le pont ensemble.

— Cela n'est pas permis, répliqua le géant.

Les muscles de ses bras puissants se raidirent imperceptiblement sur le cimeterre.

— Va, Barda, chuchota Lief.

Sa peau lui picotait ; cependant, il ne doutait pas de savoir répondre à la question, quelle qu'elle soit. Jasmine et Barda avaient réussi l'épreuve haut la main, et il était bien plus instruit qu'eux.

Barda fronça les sourcils mais ne discuta pas. Lief le regarda s'engager sur le pont, puis avancer à pas comptés, s'accrochant d'une main ferme au garde-fou. La corde grinça sous son poids. Les grands oiseaux voletèrent autour de lui en piqué, portés par le vent. Loin au-dessous, sinueux comme un serpent, s'étirait le mince tracé d'une rivière scintillante. Barda n'y jeta pas un coup d'œil.

Le géant se remit en faction.

— Voici la troisième question. Elle est longue. Je te la poserai donc deux fois, ce sera équitable. Écoute bien.

Lief se concentra tandis que l'homme énonçait les vers d'une comptine.

Dans son antre, de ses enfants entourée :
Hot, Tot, Jin, Jod,
Fie, Fly, Zan, Zod,
Pik, Snik, Lun, Lod
Et le redoutable Ichabod,
Thaegan se régale de son mets préféré.
Tous, fils et filles, tiennent un crapaud visqueux.
Deux gros vers se tortillent sur chacun d'eux.
Sur chaque ver, deux puces bondissent, hardies et fières.
Combien d'êtres vivants y a-t-il dans l'antre de la sorcière ?

Lief se rappela les longs après-midi passés à faire des additions sous l'œil vigilant de sa mère et en sourit presque de soulagement. Il allait s'en tirer les doigts dans le nez !

Il s'agenouilla par terre et, alors que le géant répétait la question, il compta avec soin, inscrivant de l'index les nombres dans la poussière.

Il y avait treize enfants. Plus treize crapauds. Plus vingt-six vers. Plus cinquante-deux puces. Soit un total de... de cent quatre. Lief revérifia le résultat puis ouvrit la bouche. Son cœur eut un battement douloureux quand, *in extremis*, le garçon se rendit compte qu'il avait failli commettre une erreur fatale. Il avait omis d'inclure Thaegan !

Le souffle court à l'idée d'avoir frôlé la catastrophe, il se remit debout à grand-peine.

— Cent cinq ! s'exclama-t-il d'une voix entrecoupée.

Les étranges yeux ambrés semblèrent lancer des éclairs.

— Tu n'as pas répondu correctement.

Le géant projeta la main et étreignit le bras de Lief avec une poigne d'acier.

Lief le considéra, mâchoire béante, sentant la panique lui enflammer les joues.

— Mais... la somme est juste, bredouilla-t-il. Les enfants, les crapauds, les vers et les puces... et Thaegan elle-même... cela fait bel et bien cent cinq en tout !

— Certes, acquiesça l'homme. Sauf que tu as oublié le mets préféré de la sorcière. Un corbeau, avalé vivant. Lui aussi était dans l'antre de Thaegan et en vie dans son ventre. La réponse est cent six.

Il brandit son cimeterre.

— Tu n'as pas répondu correctement, répéta-t-il. Prépare-toi à mourir.

3

Vérité et mensonges

Lief se débattit pour se libérer de l'étau qui lui broyait le bras.

— C'est de la triche ! se récria-t-il. Tu m'as trompé ! Comment aurais-je pu savoir ce que Thaegan aime manger ?

— Ce que tu sais ou ce que tu ignores, voilà qui ne me fait ni chaud ni froid, rétorqua le gardien du pont.

Il leva plus haut son cimeterre, jusqu'à en placer la lame incurvée à la hauteur de la gorge de Lief.

— Non ! brailla le garçon. Attends !

En cet instant de terreur, il ne songeait qu'à la Ceinture de Deltora et à la topaze qui y était fixée. S'il ne faisait rien pour l'en empêcher, ce géant aux yeux dorés trouverait sûrement la Ceinture une fois qu'il serait mort, et la lui retirerait... pour la donner à

Thaegan, peut-être. Alors Deltora serait à jamais livré au Seigneur des Ténèbres.

« Je dois la lancer par-dessus le ravin, pensa-t-il, au désespoir. Et m'assurer que Barda et Jasmine me regardent. Ainsi, ils auront une chance de la récupérer. Si seulement je parvenais à distraire l'attention du gardien... »

— Tu es un brigand et un imposteur ! s'exclamat-il, glissant les mains sous sa chemise et cherchant l'agrafe à tâtons. Pas étonnant que tu sois condamné à garder ce pont jusqu'à ce que vérité et mensonges ne fassent plus qu'un !

Comme il l'avait escompté, l'homme interrompit son geste. De la colère étincela dans ses yeux d'ambre.

— Je n'ai pas mérité de subir le tourment que j'endure, cracha-t-il. C'est par colère que Thaegan m'a privé de ma liberté et enchaîné à ce bout de terre. Eh bien, si vérité et mensonges t'intéressent tant, nous allons jouer à un autre jeu !

Les doigts de Lief s'immobilisèrent sur la Ceinture. Mais la lueur d'espoir qui avait embrasé son cœur vacilla et s'éteignit quand le géant poursuivit :

— Nous allons décider de quelle façon tu vas mourir. Tu n'as droit qu'à une affirmation, et une seule. Si celle-ci est vraie, je t'étranglerai de mes mains. Si elle est fausse, je te décapiterai.

Lief baissa le nez, feignant de réfléchir, alors qu'il s'évertuait à ouvrir discrètement le fermoir de la

Ceinture. Peine perdue. Lief pressa la paume contre la topaze...

— J'attends, dit le gardien. Donne ton affirmation.

Vraie ou fausse, laquelle choisir ? Valait-il mieux être étranglé ou décapité ? Ni l'un ni l'autre, conclut Lief avec une détermination farouche. Puis, fulgurante, une idée de génie lui vint à l'esprit.

Il leva un regard plein de hardiesse sur l'homme qui lui faisait face.

— Ma tête sera tranchée, dit-il distinctement.

Le géant hésita.

— Eh bien ? cria Lief. N'as-tu pas entendu mon affirmation ? Est-elle vraie ou fausse ?

Mais il savait que son ennemi ne pouvait répondre. Car, si l'affirmation était vraie, l'homme serait obligé de l'étrangler, la rendant fausse par la même occasion. Et si elle était fausse, l'homme devrait lui couper le cou, ce qui la rendrait vraie.

À l'instant où Lief se demandait comment, dans sa panique, il avait réussi à réfléchir à ce dilemme, l'immense silhouette devant lui poussa un profond soupir. Les yeux de Lief s'écarquillèrent et il cria sous l'effet du choc. La chair de l'homme, en effet, s'était mise à se plisser, à fondre... à changer de forme.

Des plumes brunes jaillissaient de sa peau. Ses jambes se raccourcissaient et ses pieds s'évasaient, se métamorphosant en serres. Ses épaules et ses bras puissants se dissolvaient et se transformaient en larges ailes. Son cimeterre se muait en un formidable bec crochu.

En un éclair, l'homme avait disparu, remplacé par un gigantesque et fier oiseau aux iris dorés. Lançant un cri de triomphe, le volatile s'envola, se joignant à ses congénères qui descendaient en piqué et glissaient sur le vent.

Je suis condamné à garder ce pont jusqu'à ce que vérité et mensonges ne fassent plus qu'un.

Lief l'observait, tremblant de tous ses membres. Il n'en croyait pas ses yeux. Le gardien du pont était un oiseau, que la magie maléfique de Thaegan avait contraint à prendre une apparence humaine. La sorcière l'avait attaché à la terre aussi sûrement que par des chaînes.

Et la réponse piège de Lief avait brisé l'enchantement ! Alors qu'il ne songeait qu'à sauver sa vie, il avait aussi rompu le charme de Thaegan. L'oiseau avait enfin recouvré sa liberté.

Un bruit arracha Lief à ses pensées. Jetant un regard vers le pont, il constata, horrifié, que la structure menaçait de s'effondrer d'un instant à l'autre. Poussé par l'instinct, le garçon bondit en avant, attrapant le garde-fou de corde à deux mains et courant, courant comme il n'aurait jamais imaginé en être capable, au-dessus du redoutable gouffre.

Il distinguait Jasmine et Barda à l'autre bout de l'escarpement rocheux droit devant lui, les bras tendus. Il les entendait crier. Dans son dos, des planches s'entrechoquaient tandis qu'elles se libéraient de leurs liens et s'abîmaient dans la rivière loin en contrebas.

La corde elle-même n'allait pas tarder à céder. Le pont s'affaissait, oscillant à lui en donner la nausée, sous ses pas précipités.

Lief n'avait plus qu'une seule pensée : accélérer l'allure. Il n'était qu'à mi-parcours, hélas... La bataille était perdue d'avance. À présent, les planches se dérobaient sous ses pieds. Il trébucha, s'affala, les paumes brûlantes à cause de la friction de la corde. Il se balança dans le vide, privé du moindre appui. Et alors qu'il était suspendu entre ciel et gouffre, misérable pantin ballotté par le vent, les planches devant lui se déboîtèrent et dégringolèrent dans l'abîme.

À grand-peine, posant une main après l'autre, Lief avança le long des cordes distendues – uniques vestiges du pont –, s'efforçant de ne pas penser à ce qu'il y avait en bas, essayant de ne pas imaginer ce qu'il arriverait s'il lâchait prise.

« Je suis à Del, en train de jouer à un jeu, se dit-il fébrilement, ignorant la douleur qui lui déchirait les poignets. Il y a un fossé empli de boue sous mes pieds. Mes amis me regardent... Attention à la chute, ou ils se moqueront de moi ! Je n'ai pas le choix, je dois continuer... Une main, puis l'autre... »

Soudain, il sentit une secousse et comprit que les cordes s'étaient détachées de l'escarpement devant lui. Aussitôt, il trébucha en avant, fonçant tel un boulet de canon vers la paroi rocheuse. Dans quelques secondes, il la heurterait de plein fouet ; ses membres se disloqueraient sur le granit rose. Il s'entendit crier, perçut les hurlements de Barda et de Jasmine, portés par le vent. Il serra fort les paupières...

À une vitesse vertigineuse, une ombre gigantesque plongea sous lui, et l'oscillation qui lui donnait mal au cœur cessa tandis qu'une douce chaleur lui enveloppait le visage et les bras. On le soulevait haut, haut... et le battement d'ailes puissantes était plus fort à ses oreilles que le mugissement du vent.

Puis des mains empressées l'agrippèrent et il s'effondra dans la poussière. Ses tympans bourdonnaient. Il entendait des voix brailler et rire, infiniment lointaines, lui semblait-il. Mais quand il ouvrit les yeux, il vit Barda et Jasmine penchés sur lui... C'était eux qui criaient de soulagement et de joie !

Il s'assit, faible et en proie au vertige, et se cramponna au sol. Son regard croisa les iris dorés du grand oiseau qui, sans lui, aurait encore été le gardien du pont.

Tu m'as rendu ma vie, paraissait-il dire. *Je viens de te rendre la tienne. Désormais, nous sommes quittes.*

Lief voulut parler. L'oiseau hocha une fois la tête, déploya ses ailes et prit son envol. Lief le regarda rejoindre de nouveau ses congénères, tournoyant et lançant des cris aigus alors qu'il s'éloignait le long de l'abîme, pour devenir un point minuscule qui disparut bientôt à sa vue.

✳

— Tu savais que c'était un oiseau, déclara Lief à Jasmine quand ils eurent repris leur route.

Bien qu'il se sentît sans force et endolori, il avait refusé de se reposer. Voir les escarpements rocheux le rendait malade. Il souhaitait partir au plus vite de ce lieu sinistre.

Jasmine acquiesça et jeta un coup d'œil à Kree, perché sur son épaule à côté de Filli.

— Je l'ai deviné, répondit-elle. Et j'ai éprouvé pour lui une telle pitié lorsque j'ai vu la douleur et la nostalgie dans ses yeux !

— Possible qu'il ait souffert, grogna Barda. N'empêche qu'il nous aurait tués sans le moindre état d'âme.

Jasmine se rembrunit.

— Comment lui en vouloir ? Thaegan l'avait condamné à exécuter sa volonté. Et Thaegan est... un monstre.

Se remémorant la devinette qui avait failli le conduire à la mort, Lief comprit pourquoi le dégoût assombrissait le regard de la jeune fille. Il se tourna de nouveau vers Jasmine.

— Tu ne redoutes pas Thaegan pour toi-même, mais pour Kree, n'est-ce pas ? souffla-t-il.

— En effet, répliqua-t-elle, le regard fixé droit devant elle. Kree s'est réfugié dans les Forêts du Silence après lui avoir échappé, il y a très longtemps. Il venait de quitter le nid quand la sorcière a enlevé les membres de sa famille. Ainsi, d'une certaine façon, il est comme moi : j'étais très jeune quand les Gardes Gris ont emmené mon père et ma mère. (Elle serra les lèvres.) Kree et moi sommes ensemble depuis de nombreuses années. Mais je crois que le moment est venu de nous séparer. Je le mène vers le danger. Peut-être vers la mort horrible qu'il craint plus que toute autre.

Kree émit un petit son plaintif. Jasmine tendit le bras vers lui pour le prendre sur son poignet.

— Je sais que tu m'accompagnes de ton plein gré, Kree, dit-elle. Mais je ne veux pas. Nous en avons déjà discuté. Et j'ai arrêté ma décision. S'il te plaît, retourne dans les Forêts. Si je survis, je viendrai t'y rechercher. Dans le cas contraire... tu seras en sécurité.

Elle leva le poignet en l'air et le secoua légèrement.

— Va ! ordonna-t-elle. Rentre à la maison !

Battant des ailes pour recouvrer l'équilibre, Kree poussa des cris rauques de protestation.

— Va ! répéta Jasmine.

Elle fit un geste sec de la main et Kree lâcha prise malgré lui. Il s'envola en croassant, décrivit un unique cercle au-dessus d'eux puis s'éloigna.

Jasmine se mordit la lèvre et partit à grands pas sans un regard en arrière, Filli, l'air malheureux, sur son épaule.

Lief chercha en vain des paroles de réconfort.

Les trois compagnons parvinrent à un bouquet d'arbres et s'engagèrent sur un sentier étroit qui sinuait sous l'ombre verte.

— Thaegan poursuit de sa haine tout ce qui est beau, plein de vie et libre, déclara enfin Jasmine comme ils pénétraient dans une clairière parsemée de fougères au-dessus desquelles la ramure des arbres formait une voûte. Les oiseaux affirment que se dressait jadis, à proximité du Lac des Pleurs, une cité appelée D'Or – une ville semblable à un jardin, avec des tours dorées, des gens heureux et une profusion d'arbustes et de fleurs. Et qu'à présent c'est un endroit stérile et désolé où ne règne que tristesse. Comme le sera tout cela lorsque Thaegan et ses enfants auront accompli leur œuvre maléfique, ajouta-t-elle en agitant la main autour d'elle.

Quand elle se tut, le silence tomba entre eux. C'est alors qu'ils prirent conscience du bruissement des arbres qui les entouraient.

Jasmine se raidit.

— Des ennemis ! siffla-t-elle. Des ennemis approchent !

Lief n'entendait rien. Cependant, il avait appris à ne pas négliger les avertissements de la jeune fille. Même si ces arbres-là ne lui étaient pas familiers, elle comprenait leurs chuchotis.

Lief s'élança et attrapa Barda par le bras. Le colosse s'arrêta et balaya les lieux d'un regard surpris.

Jasmine était très pâle.

— Des Gardes Gris, murmura-t-elle. Une troupe entière. Venant par ce chemin-ci.

4

Sauvetage

Lief et Barda grimpèrent dans les arbres à la suite de Jasmine. Depuis leurs aventures dans les Forêts du Silence, il semblait naturel aux deux hommes de se cacher au-dessus du sol. Ils se hissèrent le plus haut possible à mesure que le piétinement de bottes parvenait enfin à leurs oreilles. Ils découvrirent un abri confortable. Le bruit de pas s'amplifiait. Dissimulés dans la cape de Lief au sein de l'épais feuillage, les trois compagnons observèrent les silhouettes vêtues de gris pénétrer dans la clairière en rangs serrés.

Jasmine, Lief et Barda se tinrent immobiles, s'aplatissant contre les branches, persuadés que leur épreuve serait brève – le temps que passent les Gardes. Le découragement s'empara d'eux lorsqu'ils virent les soldats faire halte, poser leurs armes et se laisser tomber sur le sol.

La troupe, à l'évidence, avait choisi cette clairière pour se reposer. Les trois compagnons échangèrent des regards accablés. Quelle poisse ! À présent, ils allaient devoir rester où ils étaient – pendant des heures, peut-être.

Les Gardes ne cessaient d'affluer. Bientôt, la clairière grouilla d'uniformes gris et retentit de voix criardes. Puis, quand l'arrière-garde apparut, il y eut un cliquetis métallique en plus du martèlement des bottes.

Les Gardes Gris escortaient un prisonnier.

Lief se dévissa le cou pour observer la scène. Il n'avait jamais vu d'homme qui ressemblât de près ou de loin au captif : haut comme trois pommes, une peau plissée gris-bleu, des bras et des jambes grêles, des yeux noirs minuscules et un toupet de cheveux roux planté au sommet du crâne. Un collier de cuir lui enserrait le cou, muni d'une boucle destinée à la corde qui en pendait. Il paraissait au bord de l'épuisement, et les chaînes qui lui entravaient les poignets et les chevilles avaient creusé des marques à vif sur sa peau.

— Ils ont capturé un Ralad, souffla Barda, se déplaçant pour avoir un meilleur angle de vue.

— Un Ralad ? Qu'est-ce que c'est ? demanda Lief.

Il lui semblait avoir déjà entendu ou lu le nom, mais ne savait plus où.

— Les Ralads sont un peuple de bâtisseurs. Adin, ainsi que tous les rois et reines de Deltora, les chérissaient dans les temps anciens, chuchota Barda en réponse. Leurs édifices étaient réputés pour leur solidité et leur ingéniosité.

Soudain, Lief se souvint où il avait vu le nom – dans *La Ceinture de Deltora*, le petit livre à la couverture bleue que ses parents lui avaient fait étudier. Fasciné, il examina la silhouette affaissée dans la clairière.

— Ce sont les Ralads qui ont construit le palais de Del, murmura-t-il. Mais cet homme est si chétif !

— Une fourmi est toute petite, marmonna Barda. Pourtant, elle est capable de porter vingt fois son poids. Ce n'est pas la taille qui importe, mais le courage.

— Taisez-vous ! siffla Jasmine. Les Gardes vont vous entendre ! Et alors, ils risquent de sentir notre odeur d'un moment à l'autre.

Mais les Gardes Gris avaient manifestement fait une longue étape et ils étaient recrus de fatigue. Rien ne les intéressait hormis les victuailles qu'on déballait à présent des paniers que leurs chefs avaient placés au milieu de la clairière.

Deux d'entre eux repoussèrent sans ménagement le prisonnier à l'extérieur de leur cercle et lui lancèrent un bidon d'eau. Puis ils portèrent leur attention sur leur repas.

Jasmine observait avec dégoût les Gardes, qui mordaient à belles dents dans les aliments et buvaient à même le goulot, laissant le liquide leur dégouliner le long du menton et se déverser à terre.

Lief, quant à lui, fixait le Ralad, dont les yeux ne quittaient pas les miettes de nourriture tombées sur l'herbe. À l'évidence, il mourait de faim.

— La demi-portion crève la dalle ! ricana un des Gardes, brandissant un os à demi rongé dans la direction du Ralad. Tiens, minus !

Il rampa jusqu'au prisonnier et lui tendit l'os. L'homme affamé eut un mouvement de recul, puis, incapable de résister, esquissa un mouvement pour le saisir. Le Garde lui en assena un coup sur le nez avant de l'éloigner d'un geste brusque.

Les autres Gardes rugirent de rire.

— Brutes ! siffla Jasmine, oubliant, dans sa colère, sa mise en garde précédente.

— Silence ! chuchota Barda d'un air sévère. Ils sont trop nombreux. Nous ne pouvons rien tenter. Pour l'instant, du moins.

Les soldats s'empiffrèrent et burent jusqu'à plus soif. Ensuite, vautrés négligemment telle une masse grouillante de vers gris, ils s'allongèrent sur le dos, fermèrent les yeux et ne tardèrent pas à ronfler.

Le plus silencieusement possible, les trois compagnons se hissèrent de branche en branche pour se trouver à l'aplomb du prisonnier. Le Ralad était assis, immobile, les épaules voûtées et la tête basse.

S'était-il endormi, lui aussi ? Ils ne pouvaient courir le risque de le réveiller en sursaut. S'il criait, tout serait perdu.

Jasmine fourra la main dans sa poche et en sortit une grappe de baies séchées. Avec précaution, elle se pencha hors de l'arbre et la lança de façon qu'elle tombe pile devant le prisonnier.

Ils l'entendirent haleter. Il leva les yeux vers le ciel clair au-dessus de l'endroit où reposait la grappe et, bien sûr, ne vit rien. Dépliant ses longs doigts gris avec prudence, il s'empara de la nourriture. Il balaya les alentours du regard pour s'assurer que ce n'était pas un nouveau tour cruel que lui jouait un des Gardes, puis porta la grappe à sa bouche et se mit à dévorer les baies avec voracité.

Ses chaînes cliquetèrent légèrement. Les silhouettes autour de lui ne bougèrent pas d'un poil.

— Très bien, souffla Jasmine.

Visant soigneusement, elle envoya une autre grappe droit sur les genoux du Ralad. Cette fois, il leva aussitôt la tête et ses petits yeux s'écarquillèrent sous l'effet du choc lorsqu'il aperçut les trois visages qui le scrutaient.

En hâte, Lief, Barda et Jasmine pressèrent l'index contre leurs lèvres, pour lui ordonner de tenir sa langue. Il n'émit pas un son et enfourna des poignées de baies tout en observant les étrangers qui descendaient de l'arbre afin de s'approcher de lui.

Conscients qu'ils n'avaient aucune chance de libérer le Ralad de ses chaînes sans alerter les Gardes, ils avaient mis sur pied un plan de rechange. L'entreprise était risquée, mais ils n'avaient pas le choix. Jasmine et Lief refusaient d'abandonner le prisonnier à la merci de ses ravisseurs. Ils n'avaient pas eu besoin de convaincre Barda très longtemps. Le colosse était le seul des trois à connaître le peuple des Ralads et il trouvait abominable que l'un de ses membres soit captif des Gardes Gris.

Tandis que Jasmine faisait le guet sur l'arbre, Lief et Barda se glissèrent près du petit homme et lui indiquèrent par signes de ne pas avoir peur. Tremblant, le Ralad acquiesça, puis fit une chose surprenante : du bout de l'index, il traça une marque étrange sur le sol et lança aux deux compagnons un regard interrogateur.

Déconcertés, Lief et Barda se regardèrent, puis observèrent de nouveau le Ralad. Devant leur incompréhension, ses yeux noirs emplis de crainte, il s'empressa d'effacer le dessin. Cependant, il faisait toujours confiance, semblait-il, aux nouveaux venus

– ou peut-être se disait-il qu'aucune situation ne pouvait être pire que celle qui était actuellement la sienne. Tandis que les Gardes dormaient à poings fermés, ronflant avec grand bruit, il se laissa envelopper dans la cape de Lief.

Les trois compagnons avaient conclu que leur seul espoir était de l'emmener avec ses chaînes. Ils formaient des vœux pour que la cape étroitement serrée empêche celles-ci de cliqueter et de réveiller l'ennemi.

Les chaînes rendaient le petit homme plus lourd qu'il n'aurait pesé sans elles, mais Barda n'eut aucune difficulté à le soulever et à le mettre sur une de ses épaules. Regagner les arbres encombrés d'un tel fardeau aurait été dangereux. Or le Ralad se trouvait très près de l'orée du sentier. Il suffisait de rejoindre ce dernier, puis de s'éloigner à pas de loup.

Tous trois étaient prêts à en prendre le risque. Et le plan se serait sans doute déroulé sans problème si l'un des Gardes, rêvant peut-être, n'avait pas roulé sur lui-même et fait un moulinet avec son bras, heurtant son voisin au menton.

L'homme s'éveilla avec un rugissement, jeta des regards éperdus autour de lui à la recherche de son agresseur... et aperçut Lief et Barda qui détalaient.

Il donna l'alarme. En un éclair, la clairière s'anima de Gardes Gris en colère, arrachés brutalement au sommeil et furieux de constater que leur prisonnier s'était enfui.

5

Terreur

Poussant des rugissements de bêtes sauvages, les Gardes Gris se ruèrent aux trousses de Lief et de Barda dans un grondement de tonnerre. Tous portaient des frondes qu'ils entreprirent de charger d'« ampoules » – ces œufs d'argent emplis d'un poison mortel. Dès qu'ils auraient une vue dégagée pour viser et décocher leurs projectiles, les silhouettes qui filaient devant eux s'affaleraient à terre, paralysées et hurlant de douleur.

Lief et Barda connaissaient l'efficacité de ces armes. Et peut-être aussi le Ralad, car il marmonnait, au désespoir, tandis qu'il bondissait et rebondissait contre l'épaule de Barda. Mais le sentier tournait, empêchant les Gardes de tirer, et la peur donnait des ailes aux deux fugitifs, qui conservaient une avance confortable.

« C'était trop beau pour durer », songea Lief. Déjà, il avait le souffle court. Affaibli par l'épreuve qu'il avait subie au-dessus du ravin, il n'avait plus la force de semer ses poursuivants. Les Gardes Gris, en effet, étaient capables de courir des jours et des nuits sans prendre le moindre repos et de débusquer leur proie à l'odeur, où qu'elle se cachât.

Loin derrière lui, Lief entendit des piétinements lourds, des cliquetis, des cris d'hommes qui tombaient. Transporté de gratitude, il devina que Jasmine les suivait dans les arbres, lançant des branches mortes en travers du sentier pour retarder l'ennemi.

« Sois prudente, Jasmine ! pria-t-il. Ne te fais pas repérer ! »

Jasmine aurait pu demeurer en sécurité avec Filli. Les Gardes auraient à jamais ignoré qu'il y avait trois étrangers, et non deux, dans la clairière. Mais ce n'était pas le style de la jeune fille de rester les bras croisés quand ses amis avaient des ennuis.

Avec un tressaillement, Lief la vit sauter d'un bond léger sur le sol devant eux. Il ne l'avait pas crue si proche.

— Je leur ai concocté une course d'obstacles à ma façon, jubila-t-elle quand Barda et lui parvinrent à sa hauteur. Des lianes truffées d'épines, entortillées autour de branches mortes à six endroits du chemin. Cela devrait les ralentir.

Ses yeux brillaient de plaisir.

— Ne traînons pas ! grommela Barda. La colère ne les fera que courir plus vite.

Ils passèrent un tournant et, horrifié, Lief aperçut une longue étendue rectiligne. Le sentier semblait aller à l'infini, droit comme une flèche, se perdant dans le lointain.

Dès qu'ils atteindraient cet endroit, les ampoules se mettraient à fuser à qui mieux mieux dans les airs, car les Gardes distingueraient clairement leurs cibles, même à distance. Lief sentit son cœur battre à se rompre dans sa poitrine douloureuse tandis qu'il s'efforçait de réprimer son désespoir.

Barda obliqua brusquement sur sa droite.

— Quittons le sentier ! siffla-t-il. C'est notre unique chance !

Les arbres, plus frêles, avaient de délicates branches grimpantes... Raté pour l'escalade ! Un tapis d'herbe moelleux s'étendait entre eux et des bouquets d'arbres à plumes poussaient çà et là, leurs baies charnues et bleutées luisant parmi les feuilles vert tendre.

Lief n'avait jamais vu ces arbustes croître à l'état sauvage. Soudain, il s'imagina flânant paisiblement dans ce joli coin de nature, cueillant les fruits savoureux. Vision idyllique... Sans aucun doute, voilà ce que Jasmine, Barda et lui auraient fait si leur route n'avait pas croisé celle des Gardes Gris et leur prisonnier.

Mais ils avaient bel et bien rencontré les Gardes et le prisonnier. Alors, au lieu de profiter de cette douce après-midi, ils se sauvaient à toutes jambes.

Lief jeta un coup d'œil au paquet sur l'épaule de Barda. Les gémissements s'étaient tus, nul mouvement n'agitait les plis de la cape. Peut-être le Ralad avait-il perdu conscience...

D'un coup, le sol devint pentu. Lief constata que leurs pas les menaient dans une petite vallée invisible du sentier. Les arbres à plumes y étaient plus vigoureux et plus drus. Leur parfum enivrant embaumait l'air.

Jasmine filait, le nez au vent.

— La cachette idéale ! dit-elle avec excitation. Cette odeur couvrira la nôtre.

Lief regarda derrière lui. Déjà l'herbe, que leur course avait couchée, s'était redressée. On ne décelait aucune trace de leur passage. Son moral remonta d'un cran.

Il suivit Barda et Jasmine jusqu'au fond de la vallée. Tous trois se frayèrent une voie dans l'enchevêtrement des buissons qui, plus hauts qu'eux, les masquaient complètement à la vue. Sans bruit, ils se coulèrent dans l'ombre profonde et verte. Le sol était humide sous leurs pieds ; quelque part, un ruisseau murmurait. Des baies pendaient à profusion des branches, telles de minuscules lanternes.

Ils n'étaient à couvert que depuis quelques minutes quand Jasmine s'arrêta et leva la main en guise de mise en garde.

— Je les entends, souffla-t-elle. Ils approchent de l'endroit où nous avons quitté le sentier.

Tapi dans une immobilité totale, Lief tendit l'oreille et finit par percevoir ce que l'ouïe plus fine de Jasmine avait décelé avant lui – le tumulte d'une cavalcade. Qui s'amplifia et s'amplifia... puis ralentit. Les premiers Gardes étaient arrivés à la portion de route rectiligne. Lief imagina les chefs scrutant l'horizon et ne voyant pas âme qui vive.

Il y eut un moment de silence. Lief retint sa respiration. Les Gardes Gris devaient humer l'air, grommeler... Puis un son fort, discordant, résonna... probablement un rire ou un juron. Enfin, soulagé et inondé d'une joie indicible, Lief entendit claquer un ordre et la troupe faire demi-tour. À la vitesse de l'éclair, les Gardes avaient rebroussé chemin.

— Ils déclarent forfait, chuchota Lief. Ils pensent que nous leur avons filé entre les doigts.

— À moins que ce ne soit un piège, répliqua Barda.

Le piétinement s'estompa peu à peu. Par prudence, les trois compagnons attendirent sans bouger plusieurs longues minutes. Pour finir, Jasmine murmura quelque chose à Filli. Le petit animal se faufila vers l'arbre le plus proche et grimpa le long du tronc. Peu après, il était de retour, babillant doucement.

Jasmine se leva et s'étira.

— Tout va bien. Filli ne les voit pas. Ils sont partis pour de bon.

Lief se mit debout, heureux de relâcher ses muscles ankylosés. Il cueillit une baie et y mordit, soupirant de plaisir à mesure que le jus sucré et succulent rafraîchissait sa gorge sèche.

Jasmine tendit l'index.

— Il y en a de meilleures plus loin.

— Vérifions d'abord l'état de mon malheureux baluchon, déclara Barda.

Il déplia la cape et prit aussitôt le Ralad dans ses bras.

— Il est mort ? demanda Lief à voix basse.

Barda secoua la tête.

— Il s'est évanoui. Rien d'étonnant à cela ! Les Ralads sont un peuple robuste, mais qui pourrait résister indéfiniment à la faim, à l'épuisement, à la peur ? Qui sait depuis combien de temps notre ami est prisonnier des Gardes et quelle distance il a parcourue avec ses lourdes chaînes sans manger ni dormir ?

Lief observa le petit homme avec curiosité.

— Je n'ai jamais vu pareille créature de ma vie. Ce signe qu'il a dessiné sur le sol... qu'est-ce que c'était ?

— Mystère ! Nous lui poserons la question quand il reviendra à lui. (Barda grogna lorsqu'il souleva le Ralad.) Il nous a peut-être causé quelques soucis... il n'empêche ! Nous avons eu une sacrée chance de le rencontrer, ajouta-t-il. Il pourra nous servir de guide à partir d'ici. Son village, Raladin, n'est guère éloigné du Lac des Pleurs. Mettons-nous en quête d'un endroit où nous serons plus à notre aise pour lui ôter ses chaînes.

Ils se remirent en route parmi les bosquets. À mesure qu'ils s'y enfonçaient, la petite vallée paraissait de plus en plus enchanteresse. Une épaisse couche de mousse élastique en tapissait le sol, que parsemaient d'innombrables fleurs aux corolles penchées. Des papillons parés de couleurs éclatantes voletaient autour des arbres à plumes, et le soleil, filtrant à travers les feuilles délicates des minces arbustes, nimbait tout ce qu'il effleurait d'une pâle lumière émeraude et or.

Lief n'avait jamais contemplé semblable beauté. Et, à en juger par son expression, Barda non plus. Jasmine elle-même ne tarda pas à observer le paysage alentour avec un plaisir manifeste.

Ils débouchèrent bientôt dans une clairière et se laissèrent tomber joyeusement sur la mousse. À l'aide de la dague de Jasmine, Barda coupa le collier de cuir qui enserrait le cou du Ralad et brisa les fermoirs de ses chaînes. Tandis qu'il jetait celles-ci au loin, il fronça les sourcils en apercevant les plaies à vif sur les poignets et les chevilles du petit homme.

Jasmine, elle, les examina avec calme.

— C'est moins grave qu'il n'y paraît, décréta-t-elle. (Elle tira un flacon de sa poche et en dévissa le bouchon.) Un remède que j'ai préparé moi-même, selon une recette de ma mère, expliqua-t-elle comme elle appliquait à touches légères un baume vert clair sur les lésions. Il permet à la peau de cicatriser rapidement. J'en avais souvent l'usage... dans les Forêts du Silence.

Lief la scruta. La jeune fille baissait les yeux, fronçant farouchement les sourcils tandis qu'elle revissait le bouchon.

« Elle a le mal du pays, songea-t-il soudain. Kree lui manque, ainsi que les Forêts, et la vie qu'elle y menait. Tout comme moi, qui ai la nostalgie de mon foyer, de mes amis, de mes père et mère. »

Ce n'était pas la première fois qu'il avait le cœur déchiré en songeant à ce qu'il avait laissé à Del. Il évoqua sa chambre – minuscule, certes, mais un havre où il se sentait protégé et qui renfermait ses trésors... les soirées devant la cheminée... les courses éperdues dans les rues de la cité en compagnie de ses camarades... et même son travail à la forge paternelle.

Tout à coup, il eut envie d'un dîner chaud cuit à la maison. D'un lit douillet et d'une voix réconfortante qui lui souhaite une bonne nuit.

Il se leva d'un bond, furieux contre lui-même. Comment pouvait-il se montrer si faible, si puéril ?

— Je pars en reconnaissance, annonça-t-il d'une voix forte. Je vais cueillir des baies et ramasser du petit bois.

Sans attendre la réponse de ses deux compagnons, il s'éloigna à grandes enjambées vers l'orée de la clairière et se faufila par une trouée entre deux arbres.

À cet endroit, les arbres à plumes croulaient sous les fruits. Il alla de l'un à l'autre, se servant de sa cape comme d'un sac pour y mettre les baies parfumées. Il y avait peu de branches mortes ; toutefois, si maigre fût-il, un feu serait appréciable à la tombée de la nuit.

Il continua de cheminer, les yeux rivés au sol. Enfin, il tomba sur un beau morceau de bois plat, bien plus grand que tout ce qu'il avait aperçu ; il était humide et couvert de mousse. Qu'importe ! Il sécherait vite et brûlerait bien lorsque le feu aurait pris.

Ravi, Lief se pencha pour le ramasser. En se redressant, il regarda autour de lui pour s'orienter et découvrit, étonné, une pancarte – vieille, cassée, abîmée, mais à l'évidence faite par des mains humaines.

À côté, pendue à une branche d'arbre, il y avait une cloche placée dans une cage.

« Comme c'est bizarre ! » songea Lief. Il scruta les buissons au-delà de la pancarte et tressaillit de surprise. Droit devant lui s'étendait une vaste pelouse vert tendre. Et, à l'extrémité de celle-ci, assez loin, il distingua une chaumière blanche. De la fumée sortait de la cheminée.

— Barda ! Jasmine ! s'écria-t-il d'une voix rauque.

Il les entendit pousser des exclamations et se ruer vers lui, mais il ne pouvait détacher les yeux de la maisonnette. Quand ils l'eurent rejoint, il pointa l'index. Tous deux étouffèrent un cri de stupeur.

— Je n'aurais jamais imaginé que des gens vivaient par ici, se réjouit Barda. Quelle chance !

— Un bain ! brailla Lief, aux anges. Un bon repas chaud ! Et peut-être un lit pour la nuit !

— Tirer la cloche dans la cage et entrer, dit Jasmine, interprétant l'inscription. Eh bien, soit ! Obéissons !

Lief tendit la main et agita la cloche. Celle-ci tinta avec un son joyeux, accueillant, et les trois amis franchirent les buissons au pas de course pour atteindre la pelouse.

À peine avaient-ils fait quelques pas sur l'herbe qu'ils maudirent leur précipitation. Dans quel pétrin s'étaient-ils fourrés ?

Ils tentèrent désespérément de rebrousser chemin...

Trop tard. Déjà ils s'enlisaient jusqu'aux genoux... jusqu'aux cuisses... jusqu'à la taille...

Sous la surface verte de ce qu'ils avaient pris pour un magnifique gazon, se dissimulaient des sables mouvants.

6

Nij et Doj

Terrifiés, ils se débattirent et appelèrent à l'aide tandis que le marécage les aspirait. Ils enfonçaient désormais jusqu'à la poitrine. Bientôt ils disparaîtraient sous la nappe lisse – en fait, une mince couche d'une banale plante aquatique.

Les baies et les brindilles qu'avait ramassées Lief s'étaient dispersées et avaient sombré sans laisser de trace ; cependant, le grand morceau de bois flottait non loin des trois amis. « Parce qu'il est plat et large », songea Lief malgré sa terreur.

Il entendit un cri et vit sortir en hâte de la chaumine deux silhouettes grassouillettes aux cheveux gris qui tenaient une longue gaffe[1]. On leur portait

---

1. Perche munie d'un croc et d'une pointe. *(N.d.T.)*

secours ! Sauf que leurs sauveteurs n'arriveraient pas à temps.

À moins que...

Lief étira le bras pour attraper le morceau de bois plat et parvint à en toucher le bord du bout des doigts.

— Jasmine ! Barda ! s'époumona-t-il. Agrippez-vous à cette planche ! Doucement... Tâchez de... de vous allonger, comme si vous nagiez.

Ils obéirent. Peu après, les trois compagnons se déployaient autour du morceau de bois tels les pétales d'une fleur géante ou les rayons d'une roue. Perché sur l'épaule de Jasmine, Filli jacassait, apeuré, étreignant les cheveux de la jeune fille de ses pattes minuscules.

Par bonheur, ils ne s'enfonçaient plus. La planche les maintenait dans une relative stabilité. Mais jusqu'à quand ? Si l'un d'eux cédait à la panique... Si la planche basculait pour une raison ou une autre, elle glisserait sous les sables mouvants et les entraînerait avec elle.

— On vient nous secourir ! haleta Lief. Tenez bon !

Il n'osa pas lever la tête pour voir où étaient les deux personnes âgées, de crainte que le mouvement ne détruise leur précaire équilibre. Cependant, il entendait leurs exclamations essoufflées. Ils étaient très proches, à présent.

« Oh, faites vite ! les supplia-t-il. De grâce, dépêchez-vous ! »

Ils atteignirent la limite des sables mouvants. Lief ne comprenait pas leurs paroles, car ils s'exprimaient dans une langue étrange. Mais leurs voix avaient un ton d'urgence. À l'évidence, ils cherchaient à les tirer de ce piège.

— *Ehcîarf riahc al ed !* jubila l'homme, hors d'haleine.

— *Rerbmos sap essial al en !* répliqua la femme. *Al-sros !*

Il y eut un bruit d'éclaboussure. Les sables mouvants s'enflèrent et se ridèrent. Lief se cramponna à son bout de bois et hurla. Un mélange de boue verdâtre et de sable lui emplit la bouche, le nez... Puis il sentit quelque chose lui attraper le dos, se faufiler sous ses aisselles, le soulever, le haler.

Suffoquant et crachant, il ouvrit les yeux. L'objet, quel qu'il fût – un croc en métal, peut-être –, qui l'avait happé était fixé à l'extrémité d'une longue gaffe en bois que Jasmine et Barda avaient saisie. Les deux vieillards tiraient le trio vers la terre ferme, grognant sous l'effort.

Les trois rescapés ne pouvaient rien faire pour les soulager. Leur progression était d'une lenteur atroce. Les sables mouvants les aspiraient, refusant de les lâcher. Toutefois, les vieillards n'avaient pas l'intention de jeter l'éponge – les joues empourprées, transpirant et soufflant, ils ne ménageaient pas leur peine.

Enfin, Lief vit Jasmine et Barda retrouver la terre ferme. Avec un bruit de succion horrible, le marécage les libéra. Tous deux s'affalèrent sur la berge, trempés, dégoûtants, couverts de vase.

Peu après, ce fut à son tour. *Pop !* Son corps sauta du marais fangeux pour atterrir sur la rive, pareil au bouchon d'une bouteille – avec une telle brutalité que les vieillards basculèrent en arrière et se reçurent rudement sur les fesses. Agrippés l'un à l'autre, ils poussèrent un cri et s'esclaffèrent bruyamment.

Lief, pantelant, bafouillant, s'efforçait d'exprimer son soulagement et ses remerciements. Le croc qui lui avait sauvé la vie lui meurtrissait le dos, mais il s'en moquait bien. Il se rendit compte qu'il étreignait toujours le morceau de bois et rit. En dépit de son triste état, lui aussi avait joué son rôle dans l'aventure. Lief se réjouit qu'il n'ait pas été englouti dans les sables mouvants. Il s'assit et regarda autour de lui.

Les vieillards se relevaient, jacassant avec excitation.

— *Sévuas tnos sli !* cria la femme.

— *Obob ed sap !* acquiesça son compagnon.

— Qu'est-ce que c'est que ce charabia ? Je n'arrive pas à comprendre un traître mot de ce qu'ils racontent ! marmonna Jasmine.

Lief se tourna vers elle. La jeune fille était blême de rage.

— Ne les dévisage pas avec cet air furieux, Jasmine ! chuchota-t-il d'un ton pressant. Nous leur devons la vie !

— Nous avons failli la perdre, oui, à cause de leur stupide pancarte ! répliqua-t-elle. Je ne vois pas pourquoi je devrais leur manifester de la reconnaissance.

— Ce n'est peut-être pas eux qui l'ont mise, fit observer Barda avec calme. Il se peut qu'elle soit là depuis bien plus longtemps qu'eux. Une véritable antiquité... cassée et détériorée par les intempéries.

Lief, saisi d'une pensée terrible, considéra soudain le morceau de bois qu'il tenait à la main. Lui aussi était très abîmé. Et lui aussi avait un bord déchiqueté, comme s'il avait été séparé d'un panneau plus grand des années auparavant.

Sans hâte, il ôta la mousse qui adhérait toujours à un côté. Ses joues lui brûlèrent quand il déchiffra les mots et les lettres délavés.

NE PAS TIRER LA
GARE AU MARÉ
DANGER !
NE PAS

En esprit, Lief ajusta le morceau de bois à la pancarte :

NE PAS TIRER LA CLOCHE

GARE AU MARÉCAGE

DANGER !

NE PAS ENTRER

Sans souffler mot, il brandit la planche afin que Jasmine et Barda puissent en lire l'inscription. Les yeux arrondis comme des soucoupes, tous deux poussèrent un grognement quand ils prirent conscience de l'erreur qu'ils avaient commise et qui leur avait presque coûté la vie.

L'homme et la femme vinrent vers eux, la mine affairée.

Apercevant le morceau de bois cassé, ils se récrièrent, visiblement choqués.

— *Euv tno'l sli !* brailla la femme.

— *Sap tneiavas el en sli ! Stoidi sel !* marmonna l'homme.

Il prit la planche des mains de Lief et secoua la

tête. Puis il désigna l'extrémité opposée des sables mouvants et mima des gestes de torsion.

Lief hocha le menton.

— En effet, la pancarte était brisée, acquiesça-t-il, bien qu'il sût que les vieillards ne le comprenaient pas. Nous avons été stupides de ne pas nous en rendre compte et de foncer droit dans le piège.

— La pancarte est cassée depuis des années, grommela Jasmine, qui ne décolérait pas. De la mousse recouvre le bout qui s'en est détaché. Ils devaient être au courant. Et pourquoi y a-t-il une cloche suspendue à l'arbre dans une cage ?

— Si leur propriété est entourée de sables mouvants, peut-être la quittent-ils rarement... Dans ce cas, comment sauraient-ils ce qui se trouve au-delà ? murmura Barda.

La vieille femme adressa à Lief un sourire doux et joyeux. Elle avait les joues roses, des yeux bleus pétillants, des cheveux gris ramassés en un chignon bas sur la nuque. Elle portait un tablier blanc sur une longue robe couleur lavande.

Lief lui rendit son sourire. Elle lui rappelait un dessin qui figurait dans un des vieux livres de contes qui garnissaient l'étagère familiale. La regarder lui réchauffait le cœur et lui donnait un sentiment de sécurité. Il en allait de même pour le vieil homme. L'expression aimable et gaie, il avait une couronne de cheveux gris au sommet du crâne et une grosse moustache blanche.

La femme se tapota la poitrine et esquissa une petite courbette.

— *Nij*, dit-elle.

Puis elle tira le vieil homme en avant.

— *Doj*, dit-elle en le désignant du doigt.

C'étaient leurs noms, comprit Lief.

— Lief, répliqua-t-il en se frappant le buste de l'index.

Puis il tendit la main vers Jasmine et Barda et les présenta.

Chaque fois, Nij et Doj faisaient une révérence et souriaient. Puis ils montrèrent la petite chaumière blanche, mimèrent les gestes de se laver, de boire, et dévisagèrent les trois compagnons d'un air interrogateur.

— Volontiers ! approuva Barda, souriant jusqu'aux oreilles avec de nombreux hochements du menton. Merci. C'est très aimable à vous.

— *Miaf snova suon*, rétorqua Doj en lui donnant de légères tapes dans le dos.

Nij et lui se mirent à rire à gorge déployée comme si c'était là une bonne plaisanterie et se dirigèrent vers la maisonnette.

— Et le Ralad ? chuchota Jasmine tandis que tous trois suivaient les vieillards. L'auriez-vous oublié ? À son réveil, il s'apercevra que nous sommes partis et se mettra sans doute à notre recherche. Et s'il tombait dans les sables mouvants, lui aussi ?

Barda haussa les épaules.

— Cela m'étonnerait fort qu'il tente de nous retrouver, répondit-il d'un ton dégagé. Il aura hâte de retourner chez lui. Même si les Ralads sont de grands voyageurs à cause de leur métier de bâtisseurs, ils détestent rester trop longtemps loin de Raladin.

Jasmine ralentit l'allure et jeta des coups d'œil par-dessus son épaule.

— Viens, Jasmine ! ordonna Barda d'une voix dure. On croirait bien que tu adores être mouillée et couverte de vase !

Lief ne prêtait guère attention à leurs propos. Malgré lui, il pressait le pas à mesure qu'il s'approchait de la petite chaumière blanche, avec la fumée qui s'échappait de sa cheminée et son jardin plein de fleurs. *Un foyer*, lui soufflait son cœur. *Des amis. Ici, tu pourras te reposer. Ici, tu seras en sécurité.*

Barda marchait à grandes enjambées à son côté, aussi impatient que lui d'entrer dans la maisonnette accueillante et de profiter de ses agréments.

Filli niché dans ses cheveux, Jasmine traînait la jambe, la mine toujours renfrognée. Si Lief ou Barda avaient pris la peine d'entendre ses doutes et ses soupçons, peut-être auraient-ils montré moins d'empressement.

Mais ni l'un ni l'autre ne se soucièrent de l'écouter. Et ils s'en mordirent les doigts bien longtemps après que la porte verte se fut refermée sur eux.

7

Chocs en série

Nij et Doj introduisirent leurs hôtes dans une cuisine spacieuse et claire au sol de pierre. Des marmites et des casseroles astiquées pendaient à des crochets au-dessus d'un fourneau ventru, et une grande table occupait le centre de la pièce. Nostalgique, Lief songea aussitôt à la cuisine de la forge et souhaita s'installer là – notamment parce que, comme Barda et Jasmine, il était trempé et boueux.

Mais Nij et Doj parurent choqués à l'idée de laisser leurs visiteurs dans la cuisine et les poussèrent dans un salon attenant. Le feu qui crépitait dans l'âtre, les fauteuils rembourrés et le tapis tissé rendaient les lieux douillets.

Multipliant les hochements de tête et les sourires, Nij donna des couvertures aux trois amis et les
fit asseoir devant la cheminée. Puis Doj et elle ressor-
tirent en hâte, indiquant par gestes qu'ils allaient
revenir.

Bientôt, Lief perçut des cliquetis et des murmures
provenant de la cuisine. Il supposa que les deux vieillards mettaient de l'eau à chauffer pour un bain et
leur préparaient peut-être un repas.

— *Uae'l ed rilliuob eriaf*, disait Nij avec excitation.

Et Doj riait tout en s'activant.

— *Ehcîarf riahc al ed tôtneib ! Ehcîarf riahc al ed
tôtneib !* chantonnait-il.

Lief en eut chaud au cœur. Ces braves vieillards donneraient tout ce qu'ils possédaient, si dému-
nis soient-ils, afin de secourir des inconnus en difficulté.

— Ils sont très gentils, déclara-t-il avec indo-
lence.

Pour la première fois depuis des jours, il se sentait détendu. Le feu pétillait joyeusement et la couverture autour de ses épaules le réconfortait. La pièce,
elle aussi, lui donnait l'impression d'être chez lui.
Un bouquet de pâquerettes jaunes ornait le man-
teau de la cheminée – les mêmes que celles qui poussaient près de la grille de la forge. Au-dessus de

l'âtre, il y avait une tapisserie, brodée sans doute par Nij :

1. « Vivre sans faire de mal. » (*N.d.T.*)

— Oui, ils sont la bonté incarnée, murmura Barda. C'est pour des gens comme eux que nous voulons sauver Deltora.

Jasmine fit la moue. Lief la regarda, surpris de la voir aussi agitée. Puis il comprit. Elle n'avait jamais habité une maison pareille, jamais côtoyé des personnes ordinaires comme Nij et Doj. Elle avait passé sa vie dans les Forêts, parmi les arbres, sous le ciel. Pas étonnant qu'elle se sente mal à l'aise entre ces quatre murs, à l'inverse de ses compagnons.

Filli, recroquevillé sur son épaule, se cachait les yeux de ses pattes. Il n'était pas heureux, lui non plus, même si Nij et Doj lui avaient fait bon accueil, souriant et essayant de le caresser.

— Lief, chuchota Jasmine, quand elle s'aperçut qu'il l'observait, la Ceinture est-elle en sûreté ? La topaze est-elle toujours à sa place ?

Saisi, Lief se rendit compte qu'il avait complètement oublié la Ceinture. Il la palpa, soulagé de constater qu'elle était toujours solidement serrée autour de sa taille.

Il souleva sa chemise crasseuse pour la contempler. Ses maillons d'acier étaient maculés de vase, ainsi que la pierre – aucune lueur n'en émanait. Lief entreprit de la nettoyer. Ce n'était pas bien, lui semblait-il, qu'elle fût si sale.

Il interrompit brusquement sa tâche quand Doj surgit en trombe de la cuisine avec un plateau. Lief maudit son insouciance. Grâce à la couverture, la Ceinture était invisible de la porte, mais c'était un coup de chance. Certes, Nij et Doj étaient dépourvus de malice. Cependant, il était essentiel que leur quête demeure secrète. Il aurait dû se montrer plus prudent.

Il resta parfaitement immobile, la tête penchée et les mains serrées sur la topaze. Doj posa le plateau chargé de boissons et d'une assiette de petits gâteaux.

— *Tenez ! Profitez bien de votre dernier repas sur terre !* cria le vieillard.

Sous l'effet du choc, Lief sentit son crâne lui picoter. Souffrait-il d'hallucinations auditives ? Rêvait-il ? Il jeta à Barda un regard à la dérobée. Le colosse affichait une expression aimable. Jasmine, elle aussi, paraissait paisible.

Quelqu'un le tira doucement par le coude et il leva la tête. Doj, souriant, lui présentait une tasse de ce qui semblait être du jus d'arbre à plumes. Avec un frisson d'horreur, Lief remarqua que le visage du vieil homme avait affreusement changé. La peau, marbrée, était couverte de pustules et de plaies. Les yeux, jaunes, fixes, froids, tels ceux d'un serpent, surmontaient deux trous noirs dilatés. La bouche, avide et cruelle, était garnie de crocs de métal recourbés et une langue bleuâtre en dardait, léchant des lèvres gonflées semblables à des babines.

Lief poussa un cri strident et se ratatina dans son fauteuil.

— Lief, que se passe-t-il ? s'exclama Jasmine, alarmée.

— Qu'est-ce qui te prend ? grogna Barda au même instant en lançant un regard embarrassé au monstre abominable qui tendait toujours la tasse.

Les tempes battantes, Lief avait du mal à respirer. Néanmoins, son esprit fonctionnait à cent à l'heure. À l'évidence, ses amis ne voyaient pas ce que lui voyait Pour eux, Doj était toujours le bienveillant vieillard qu'il avait été pour Lief au début.

Or cette vision était un mensonge – une illusion, créée par quelque artifice de magie noire. Lief en était conscient, désormais. Et, à aucun prix, la hideuse créature ne devait soupçonner que, pour lui du moins, le charme était brisé.

Il étreignit la topaze sous sa chemise et força un sourire.

— Je... je m'étais assoupi, balbutia-t-il. Vous... vous m'avez réveillé en sursaut. Excusez-moi.

Il accompagna ses propos de mimiques explicites et feignit de se moquer de lui-même.

Doj rit de concert. La vue de ses crocs dénudés et luisants, de sa bouche béante et dégoulinante, était épouvantable.

Il laissa la tasse à Lief et retourna dans la cuisine.

— *Sruojuot ruop rimrod sarruop ut tôtneib !* s'esclaffa-t-il du seuil.

De nouveau, il se lécha les lèvres. Et, de nouveau, Lief comprit ce qu'il avait dit réellement : « Bientôt tu pourras dormir pour toujours. »

Nij et Doj ne s'exprimaient pas dans une langue étrange, ils parlaient à l'envers ! Pris de vertige, Lief se remémora les phrases et les remarques des deux vieillards, et conclut que chacune était inversée.

Hébété d'horreur, il vit Doj quitter la pièce et l'entendit choquer bruyamment les ustensiles avec Nij dans la cuisine, fredonnant sans cesse le même refrain :

— *Ehcîarf riahc al ed tôtneib ! Ehcîarf riahc al ed tôtneib !*

« *Bientôt de la chair fraîche ! Bientôt de la chair fraîche !* »

Lief, frissonnant des pieds à la tête comme si une brise glaciale le fouettait, pivota vers Jasmine et

Barda. C'est alors qu'il découvrit le salon tel qu'il était vraiment.

Une cellule sinistre, sombre, avec des murs de pierre suintant d'eau visqueuse. Le tapis moelleux était tissé de peaux de petits animaux grossièrement cousues ensemble. La broderie au-dessus de la cheminée, elle, paraissait la même. Sauf qu'il y nota une légère différence :

1. « Vivre pour faire le mal. » (*N.d.T.*)

— Lief, que se passe-t-il ?

Il détourna les yeux de l'abominable maxime et regarda Jasmine. Stupéfaite, elle l'observait, sa tasse à mi-chemin de ses lèvres.

— Ne... ne bois pas ce breuvage ! réussit-il à dire.

Jasmine se renfrogna.

— J'ai soif ! protesta-t-elle, prête à avaler le liquide d'un trait.

En désespoir de cause, Lief lui arracha la tasse des mains et elle tomba sur le sol. Jasmine se leva d'un bond avec un cri de colère.

— Tais-toi ! siffla Lief. Tu ne comprends pas. Le danger rôde. Cette boisson... qui sait ce qu'il y a dedans ?

Barda bâilla.

— Tu es fou ou quoi, Lief ? Elle est délicieuse !

Adossé aux peaux d'animaux puantes, le colosse ferma à demi les paupières.

Lief lui secoua le bras avec force. Le cœur serré, il remarqua que son ami avait déjà bu la moitié de sa tasse.

— Barda, lève-toi ! l'implora-t-il. Nij et Doj cherchent à nous droguer. Tu en ressens déjà les effets !

— Absurde ! répliqua Barda d'une voix traînante. Il n'y a pas plus gentils qu'eux. Sont-ils mari et femme, à ton avis, ou frère et sœur ?

Nij. Doj... Soudain, les noms se remirent dans le bon sens et Lief les vit, eux aussi, pour ce qu'ils étaient en réalité.

— Frère et sœur, répondit-il, la mine sombre. Et ils ne s'appellent pas Nij et Doj, mais Jin et Jod. Deux des enfants de la sorcière Thaegan. Le gardien du pont les a cités dans sa comptine. Ce sont des monstres ! Une fois que nous serons endormis, ils nous tueront... et nous mangeront !

Jasmine se rembrunit.

— Ridicule, Lief !

Barda cilla et balaya la pièce du regard. Lief devina qu'il n'apercevait qu'un lieu douillet. Et si le colosse

66

avait une expression inquiète, c'est qu'il craignait tout bonnement que Lief eût perdu l'esprit sous le coup de la peur.

— *Ehcîarf riahc al ed tôtneib ! Ehcîarf riahc al ed tôtneib !* chantonnait Jod dans la cuisine.

Et sa sœur joignait sa voix à la sienne, couvrant les bruits d'un couteau qu'on aiguise :

— *Maim maim ! Maim maim !*

Barda sourit, l'air ensommeillé.

— Tu entends comme ils chantent pour se donner du cœur à l'ouvrage ? ajouta-t-il en se penchant pour tapoter le bras de Lief. Comment as-tu pu imaginer qu'ils n'étaient pas ce qu'ils paraissent être ? Repose-toi. Tu te sentiras mieux après.

Lief secoua la tête, accablé. Que faire ?

8

Retour à la réalité

Lief devait rompre le charme qui aveuglait Jasmine et Barda. Mais comment ? Il ne comprenait pas de quelle manière ses yeux avaient fini par se dessiller. Cela s'était produit si brutalement. Il nettoyait la topaze quand Doj était entré et...

La topaze !

Des phrases à demi oubliées du petit livre à couverture bleue de son père, *La Ceinture de Deltora*, lui revinrent en mémoire.

Il ferma les paupières, se concentrant jusqu'à visualiser la page.

✝ La topaze est une pierre puissante, dont le pouvoir s'accroît à la pleine lune. Elle protège celui qui la porte des terreurs de la nuit, le met en contact avec le monde surnaturel. **Elle renforce la lucidité et éclaircit l'esprit...**

Elle renforce la lucidité et éclaircit l'esprit !

Lief étreignit la pierre tandis que ses pensées tourbillonnaient. Il se souvint que sa paume effleurait la topaze lorsqu'il avait passé avec succès la dernière épreuve proposée par le gardien du pont ; et qu'il frottait la pierre avec ses doigts quand il s'était rendu compte que Doj n'était pas le bon papa gâteau qu'il semblait être.

La pierre ambrée était la clé !

Peu soucieux d'entrer dans des explications, Lief saisit la main de Barda et celle de Jasmine et les plaça sur la topaze.

Criant d'abord de surprise et de contrariété, le colosse et la jeune fille étouffèrent bientôt des exclamations d'horreur. Les yeux exorbités, ils balayèrent la pièce du regard et virent enfin ce que voyait Lief, comprirent enfin les paroles qui s'échappaient de la cuisine :

— *Bientôt de la chair fraîche ! Bientôt de la chair fraîche !*

— *Miam miam ! Miam miam !*

— Je ne les aimais pas, ni eux ni leur maison, siffla Jasmine. Et Filli non plus. Mais j'ai pensé que c'était parce que nous avions grandi dans les Forêts du Silence et ignorions les usages du monde.

— Je... (Barda déglutit et se passa la main sur le front.) Comment ai-je pu me montrer aussi aveugle ?

— Nous étions tous trois égarés par la magie, chuchota Lief. Mais la topaze nous a ouvert les yeux et éclairci l'esprit afin que nous puissions résister au charme.

Barda secoua la tête.

— J'ai trouvé curieux que les Gardes Gris ne se lancent pas à nos trousses après avoir perdu notre piste sur le sentier, marmonna-t-il. Je comprends pourquoi, à présent. Ils savaient que nous atterririons tôt ou tard dans les sables mouvants et serions capturés par Jin et Jod. Pas étonnant qu'ils aient ri avant de rebrousser chemin.

— Jin et Jod sont empotés et lents, déclara Lief. Sinon, pourquoi auraient-ils besoin de recourir à la magie ou à une drogue soporifique afin d'attraper leurs victimes ? Nous avons une chance...

— À condition de trouver une issue.

Jasmine entreprit d'explorer les murs de la cellule et laissa courir ses doigts sur les pierres suintantes.

Barda se mit debout en chancelant et essaya de la suivre. Aussitôt il trébucha et agrippa le bras de Lief pour recouvrer l'équilibre. Il oscillait et était pâle comme un linge.

— La faute à leur maudit breuvage ! maugréa-t-il. Je n'en ai pas bu assez pour m'endormir, mais il m'a affaibli, je le crains.

Jasmine chuchota leurs noms et leur adressa des signes de l'autre bout de la pièce. Ils se hâtèrent de la rejoindre tant bien que mal.

Elle avait découvert une porte dérobée. À première vue, celle-ci semblait faire partie du mur. Seul un interstice fin comme un cheveu en révélait le contour. Fébriles, tous trois y glissèrent les doigts et tirèrent.

La porte s'ouvrit sans bruit. Jasmine et ses deux compagnons jetèrent un coup d'œil, puis se regardèrent, accablés.

La porte ne menait pas à une sortie, mais à une resserre pleine à craquer d'un bric-à-brac d'objets hétéroclites... Des vêtements de toute taille et de tout style, moisis et auréolés d'humidité ; des pièces d'armure rouillées, des casques, des boucliers ; des épées et des dagues, ternies de n'être pas entretenues, empilés jusqu'au plafond ; deux coffres regorgeant de joyaux, et deux autres encore où s'entassaient des pièces d'or et d'argent.

Horrifié, le trio considérait cette caverne d'Ali Baba. C'étaient là les affaires des voyageurs que Jin et Jod avaient capturés et tués dans le passé. Aucune arme n'avait été assez puissante, aucun combattant assez subtil pour les vaincre.

— La pancarte brisée en a attiré beaucoup dans les sables mouvants, souffla Jasmine.

Lief acquiesça, l'air sombre.

— Un piège ingénieux. Quand les monstres entendent la cloche, ils se précipitent au secours du malheureux enlisé dans le marécage. Leur victime, reconnaissante, ne voit que ce qu'ils veulent qu'elle voie. Ainsi, elle ne cherche pas à se défendre et entre sans méfiance dans la maisonnette...

— Pour y être droguée, tuée et dévorée, termina Barda en grinçant des dents. Comme cela a failli nous arriver.

— Et comme cela risque de nous arriver encore, lui rappela Jasmine, si nous ne trouvons pas un moyen de nous évader.

Au même moment, ils perçurent un tintement. Un autre voyageur avait vu la pancarte et n'allait pas tarder à être pris au piège.

L'espace d'un bref instant, tous trois se pétrifièrent. Puis l'esprit de Lief se remit à fonctionner.

— Retournons dans le salon ! siffla-t-il. Couchez-vous ! Faisons semblant de...

Il n'acheva pas sa phrase. C'était inutile – ses compagnons, le comprenant à demi-mot, regagnèrent la pièce en vitesse, vidèrent leur tasse de soporifique et se jetèrent sur le sol.

— *Doj, ehcîarf riahc al ed erocne !* entendirent-ils Jin crier de la cuisine. *Tehcorc el sdnerp !*

— *Nitsef iarv nu !* bafouilla son frère avec excitation. *Simrodne ájèd tnos sertua sel euq ec-tse ?*

Il y eut le fracas d'un couvercle reposé sur une marmite et un bruit de course précipitée.

Comme Jasmine et Barda, Lief feignait d'être profondément endormi. Jin le poussa du pied. Il ne bougea pas. Cependant, lorsqu'elle grogna de satisfaction et tourna les talons, il ouvrit les yeux telles deux fentes et l'observa entre ses cils.

Elle se dirigeait vers la porte d'un pas pesant mais rapide. Il ne distingua qu'une masse de chair bosselée d'un blanc verdâtre maladif, hérissée de poils noirs, et l'arrière d'une tête chauve d'où jaillissaient trois cornes trapues. Il ne voyait pas son visage – ce dont il se félicita.

— *Uaetuoc el ruop tniop á tnos sli !* beugla-t-elle tandis qu'elle claquait la porte derrière elle.

Pris de frissons, Lief l'entendit marcher dans la cuisine, puis claquer une autre porte. Ensuite, ce fut le silence. Son frère et elle avaient quitté la chaumière.

— Alors comme ça, nous sommes à point pour le couteau ? Et voilà que maintenant ils ont encore attrapé quelqu'un dans leur souricière ! marmonna Barda qui se remit debout en titubant et se précipita hors de la cellule.

— Ce doit être le Ralad ! siffla Jasmine.

Elle se rua dans la cuisine, Lief et Barda sur ses talons.

À présent que le charme était rompu, ils virent la pièce avec un regard neuf : elle était sombre, puante et sale, son sol de pierre encroûté de vieille crasse. Il y avait des os partout. Dans le recoin le plus obscur, ils aperçurent un grabat de paille moisie. Au-dessus, une corde effilochée était fixée à un anneau dans le mur. À l'évidence, un animal avait dû coucher là jusqu'à tout récemment avant de ronger ses liens pour s'enfuir.

Les trois compagnons regardèrent à peine le sinistre décor. Ils n'avaient d'yeux que pour l'énorme chaudron sur le fourneau, dont l'eau bouillonnait sous le couvercle, pour la gigantesque pile d'oignons grossièrement coupés et les deux longs couteaux au fil affûté posés sur la table graisseuse.

Lief, l'estomac retourné, était sous le choc. Puis il tressauta – son ouïe, aiguisée par la peur, avait perçu un bruit ténu, au fond de la maison. Quelqu'un – ou quelque chose – se déplaçait furtivement.

Ses compagnons l'avaient entendu, eux aussi.

— Dehors ! chuchota Barda. Et vite !

Ils se faufilèrent à l'extérieur, soulagés d'inhaler une bouffée d'air pur. Ils examinèrent les lieux avec attention.

La pimpante chaumière, elle aussi, s'était transformée. C'était en fait un sinistre bloc mal dégrossi de pierres blanches sans la moindre fenêtre. Le coquet jardin de fleurs avait cédé la place à un fouillis de chardons et de planches d'oignons. De l'herbe miteuse et rêche s'étendait à perte de vue, menant toujours à la bande verte qui indiquait la lisière des sables mouvants.

Au loin, ils distinguèrent Jin et Jod. Vociférant l'un contre l'autre, ils plongeaient leur longue gaffe à l'endroit où quelque chose était tombé, troublant la vase avant de s'enfoncer sous la surface.

Une vague de tristesse submergea Lief.

— Ils sont arrivés trop tard pour le sauver. Il a sombré, affirma Barda, les traits empreints de chagrin.

— Très bien, donc, rétorqua Jasmine. Rien ne nous retient plus ici. Inutile de rester plantés là comme des souches alors qu'ils risquent de nous voir à tout instant.

Lief lui jeta un coup d'œil. La jeune fille soutint son regard avec défi, les lèvres serrées et le menton levé. Puis elle pivota et disparut à l'angle de la chaumière.

Lief la suivit en soutenant Barda.

L'arrière de la bicoque était la réplique de la façade, percé d'une unique porte. Là aussi poussait un gazon pelé qui s'achevait par la même bande verte. Au-delà, on discernait une forêt. Mais les sables mouvants ceignaient complètement le domaine de Jin et de Jod, telles des douves.

— Il doit y avoir un gué ! grommela Lief. Je doute fort qu'ils ne quittent jamais cet endroit.

Jasmine, les paupières plissées, scrutait le ruban vert. Soudain, elle désigna de l'index une zone légèrement mouchetée presque à l'opposé de la maison. Un énorme rocher en marquait l'emplacement.

— Là-bas ! s'exclama-t-elle.

Et elle partit au pas de course.

9

Les pierres de gué

Lief, toujours soutenant Barda, s'élança tant bien que mal derrière Jasmine. Quand il la rejoignit, elle se tenait près du rocher à la lisière des sables mouvants. Il comprit alors pourquoi la vase semblait mouchetée. Au centre des douves flottait un amas de feuilles vert pâle tachetées de rouge – sans doute celles d'une plante marécageuse.

Leur bord était droit, si bien que là où elles se touchaient, elles s'emboîtaient comme des pièces de puzzle. Et là où il y avait des intervalles entre elles, l'émeraude vif de la vase apparaissait.

Lief regarda de plus près et s'aperçut que les marques rouges étaient plus étranges encore qu'elles ne le semblaient à première vue. En fait, il s'agissait de nombres, de lettres et de symboles.

Il agrippa le bras de Jasmine.

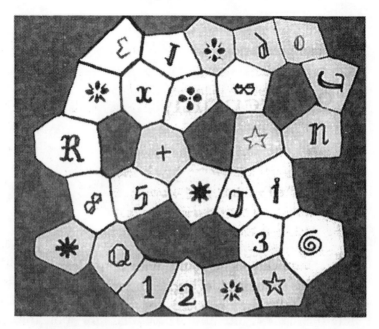

— Il y a un chemin, j'en jurerais ! murmura-t-il, empli d'excitation. Des pierres de gué se dissimulent sous certaines de ces feuilles.

— Mais lesquelles ? marmonna Jasmine. Nous ne pouvons nous en remettre à la chance. Les feuilles sont regroupées au milieu des sables mouvants. Nous n'avons rien d'assez long pour vérifier lesquelles sont solides et lesquelles ne le sont pas. Comment être sûrs ?

— La topaze, Lief, le pressa Barda. Peut-être t'aidera-t-elle à...

Un rugissement de rage parvint de la chaumière. Les trois compagnons pivotèrent au moment où la porte de derrière s'ouvrait à la volée et claquait contre le mur. Une silhouette surgit à la vitesse de la foudre et se mit à courir vers eux bruyamment. Lief cria de stupéfaction en reconnaissant le Ralad.

— Il ne s'est pas noyé ! s'exclama Jasmine. Ils l'ont sauvé, en fin de compte !

Le soulagement perceptible dans sa voix montrait à l'évidence que, malgré son apparente indifférence, elle s'était fait un sang d'encre au sujet du petit prisonnier. Sans hésiter, elle tira sa dague et se précipita à sa rescousse.

Et, de fait, le Ralad était en fort mauvaise posture. Jin et Jod, lancés à ses trousses, jaillirent dans son dos telles des fusées, poussant des hurlements enragés. Jin s'était emparée d'une hache et Jod tendait la longue gaffe devant lui, lui imprimant de brusques mouvements de côté. Chaque fois, le croc fixé à son extrémité, encore dégouttant de vase, loupait le Ralad d'un cheveu. Bientôt, il allait faire mouche.

Au mépris du danger, Lief dégaina son épée et se rua à l'assaut, abandonnant un Barda chancelant près du rocher.

Les coups que portait Jasmine ne ralentissaient pas Jin et Jod le moins du monde. La pointe de sa dague semblait rebondir sur leur peau coriace sans l'entamer, et les deux monstres lui accordaient à peine un regard. Crachant de fureur, ils voulaient manifestement tuer le Ralad plutôt qu'en découdre avec elle.

On aurait dit que la seule vue du petit homme les remplissait de fureur, comme s'ils le connaissaient.

Le Ralad se rapprochait. Pantelant de terreur, il adressait à Lief des gestes désespérés pour qu'il batte en retraite, désignant tour à tour du doigt les feuilles mouchetées et ses jambes.

Soudain, Lief comprit. Le Ralad n'était pas tombé dans les sables mouvants ainsi qu'ils l'avaient supposé. Car s'il était maculé de vase des pieds aux genoux, ses cuisses étaient propres et sèches. Il avait réussi à franchir les douves – de quelle manière ? Mystère – en cet endroit précis.

« Les lieux lui sont familiers », songea Lief. Il y est déjà venu.

Deux images, très nettes, se formèrent dans son esprit : le collier qui enserrait le cou du Ralad ; la litière de paille moisie et la corde effilochée dans la cuisine des monstres.

Tout à coup, il eut l'intuition que le petit homme avait autrefois dormi sur l'immonde paillasse et que le collier avait naguère été fixé à cette corde. Jin et Jod le tenaient prisonnier voilà peu. Trop chétif pour qu'ils le mangent, ils en avaient fait leur esclave. Et il avait fini par s'échapper... pour devenir le captif des Gardes Gris.

Les trois compagnons l'avaient laissé évanoui parmi les bosquets d'arbres à plumes. Il avait dû reprendre conscience, constater qu'ils étaient partis et deviner ce qui était arrivé. Ou bien leurs cris l'avaient réveillé et il avait observé leur capture de sa cachette.

Il avait agité la cloche et jeté une lourde pierre dans les sables mouvants afin de tromper Jin et Jod et les attirer hors de leur masure. Puis il avait filé vers l'arrière de la chaumière et traversé les douves. Il était retourné dans cet endroit abominable, alors qu'il aurait pu s'enfuir et se mettre en sécurité. Pourquoi ?

Il n'y avait pas trente-six solutions : pour secourir à son tour ceux qui l'avaient aidé.

À présent, Lief n'était plus qu'à quelques pas du Ralad et de ses poursuivants. Il sauta d'un côté, indiquant par gestes à Jasmine d'en faire autant. Il avait dressé un plan dans l'urgence : se placer entre les monstres et leur victime. Sans doute parviendraient-ils à peine à les blesser, mais la diversion donnerait au moins une chance au petit homme.

Car c'était là ce qui importait, désormais. Pas uniquement pour le Ralad, mais pour eux tous. Ce petit homme aux pieds boueux qui courait à en perdre le souffle était le seul, en effet, qui fût en mesure de les sauver. Lui seul pouvait leur montrer le chemin pour franchir les sables mouvants, en leur expliquant quelles feuilles éviter et sur lesquelles marcher à coup sûr.

Lief se remémora les feuilles telles qu'il les avait vues, leurs étranges marques rouges se détachant avec netteté sur un fond d'un vert pâle brillant. Et, soudain, il étouffa une exclamation.

— Mais il nous l'a déjà dit ! s'écria-t-il.

Effaré, le Ralad jeta un regard dans sa direction et trébucha. L'énorme croc recourbé le happa à la taille, brisant net son élan et lui vidant les poumons. Jod hurla de triomphe et entreprit de le haler vers lui.

Au même moment, l'épée de Lief s'abattit sur la gaffe, la tranchant en deux. Pris par surprise, Jod, déséquilibré, bascula en arrière et percuta Jin. Les deux monstres s'affalèrent dans un enchevêtrement de chair boursouflée et pantelante.

Jasmine fondit sur eux, sa dague brandie.

Lief souleva vivement le Ralad et le jeta en travers de l'épaule.

— Non, Jasmine ! Laisse-les !

À présent qu'il avait découvert le secret des pierres de gué, Lief estimait que la rapidité de mouvement les sauverait plus sûrement que l'affrontement.

Car si Jin et Jod étaient empotés, ils possédaient toutefois une force prodigieuse. Que Jasmine ou lui-même fût blessé serait une catastrophe. Le Ralad était réduit à l'impuissance et Barda ne valait guère mieux. Tous deux auraient besoin d'aide pour se tirer d'affaire.

Lief retourna en hâte vers le rocher où Barda l'attendait, empli d'anxiété. D'abord hésitante, Jasmine se résolut à le suivre en criant contre lui.

Il l'ignora jusqu'à ce qu'ils aient rejoint le colosse. Puis il se tourna vers elle, le souffle court.

— Tu es fou, Lief ! s'exclama Jasmine avec colère. Nous voilà maintenant acculés, dos aux sables mouvants. C'est le pire endroit pour combattre !

— Nous n'allons pas combattre, haleta Lief, calant le Ralad sur son épaule. Nous allons gagner l'autre berge.

— Mais à quelles feuilles se fier ? s'inquiéta Barda. Lesquelles indiquent le sentier ?

— Aucune, répondit Lief d'une voix entrecoupée. Ce sont les espaces entre elles qui constituent le chemin.

Il regarda par-dessus la tête de Jasmine et son cœur cogna dans sa poitrine : Jin et Jod se remettaient déjà debout.

— Jasmine, passe la première, lui intima-t-il. Comme ça, tu pourras ensuite aider Barda. Je vous suivrai avec le Ralad. Hâte-toi ! Les monstres seront sur nous d'un instant à l'autre !

Mais Jasmine et Barda se contentèrent de le dévisager, mâchoire pendante.

— Entre les feuilles, ce sont les sables mouvants ! brailla Jasmine. Pas besoin d'être devin pour s'en rendre compte. Si nous posons le pied dessus, nous nous enliserons... et mourrons.

— Tu ne mourras pas ! souffla Lief, au désespoir.

Sauf si tu poses le pied ailleurs. Fais ce que je te dis. Aie confiance en moi !

Barda se frotta le front, tentant de s'éclaircir les idées.

— Comment sais-tu que c'est sans danger ?

— Le Ralad me l'a dit.

— Il n'a pas prononcé un mot ! protesta Jasmine.

— Il a pointé cet endroit du doigt, puis ses jambes, cria Lief. Et ses jambes sont couvertes de vase jusqu'aux genoux. Or personne n'a marché sur les feuilles durant l'heure qui vient de s'écouler. Elles sont tout à fait propres et sèches.

Pourtant, Barda et Jasmine hésitaient encore.

Jin et Jod s'approchaient. La face blanc verdâtre et poilue de Jin était si gonflée par la rage que ses petits yeux avaient quasiment disparu. Des défenses jaunâtres saillaient de sa bouche. Elle fondait sur eux, sa hache brandie, prête à frapper.

Lief n'avait plus le choix. Il inspira à fond et, tenant le Ralad d'une poigne ferme, il bondit sur le premier interstice entre les feuilles.

Et traversa la vase. En proie à la panique, il se demanda s'il s'était trompé. Jasmine et Barda hurlèrent d'horreur. Enfin, ses pieds touchèrent la surface dure et plate d'un rocher – il ne s'était enfoncé que jusqu'à la cheville.

Peinant, il dégagea son pied droit d'un mouvement brusque et sauta sur l'intervalle suivant. De nouveau, il s'enlisa jusqu'à la cheville. Puis, de nouveau, il atterrit sur une pierre.

— Venez ! s'époumona-t-il.

Et, poussant un soupir de satisfaction, il entendit Jasmine et Barda se précipiter à sa suite.

Jin et Jod écumaient de fureur. Lief ne tourna pas la tête vers eux. Les muscles de ses jambes étaient douloureux tandis qu'il se libérait de l'emprise des sables mouvants pour poursuivre sa route. Encore un pas. Un autre...

Il parvint enfin à la berge opposée. De l'herbe. Des arbres. Dans un ultime effort, il franchit le dernier mètre d'un bond. Ses pieds heurtèrent la terre ferme et, sanglotant de soulagement, il s'affala, tête la première, et le Ralad roula de son épaule.

Il rampa à quatre pattes et se retourna. Barda le talonnait – il n'allait pas tarder à atteindre la rive.

Jasmine, en revanche, s'était arrêtée. Accroupie, elle donnait des coups de dague. S'était-elle empêtrée dans une racine ? Qu'est-ce qu'elle fabriquait ?

Les monstres étaient encore à quelque distance des douves, mais Jin levait sa hache haut au-dessus de sa tête. Terrorisé, Lief devina qu'elle s'apprêtait à la lancer.

— Jasmine ! brailla-t-il.

La jeune fille regarda autour d'elle et vit le danger. Rapide comme l'éclair, elle se redressa, pivota et prit son élan pour gagner la pierre de gué suivante. À cet instant, la hache fendit l'air en tournoyant et la frappa à l'épaule.

Poussant un cri, Jasmine s'effondra à genoux et, perdant l'équilibre, bascula dans les sables mouvants.

Aussitôt, le marécage se referma sur elle, l'aspirant dans ses profondeurs.

10

Rapidité d'esprit

Barda pivota en vacillant, se pencha et attrapa le bras de Jasmine afin de ramener la jeune fille à lui. Mais ses forces le trahirent et il ne parvint qu'à l'empêcher de s'enfoncer davantage.

Avec des hurlements de triomphe, Jin et Jod s'avancèrent à pas pesants vers le gros rocher. Ils n'allaient pas tarder à l'atteindre. Et alors...

— Laisse-moi ! cria Jasmine à Barda. Prends Filli... et laisse-moi.

Le colosse secoua la tête, et Filli, farouche, s'agrippa à l'épaule de son amie, refusant de bouger.

Au désespoir, Lief balaya les alentours du regard à la recherche d'un objet qu'il puisse leur tendre... une branche d'arbre, une liane... Hélas ! Il n'y avait pas de lianes, et les branches d'arbre, épaisses, poussaient très en hauteur. Il n'arriverait jamais à en casser une à temps. Si seulement ils n'avaient pas perdu leur corde dans les Forêts du Silence ! Ils avaient abandonné là-bas tout ce qu'ils possédaient, excepté les vêtements qu'ils portaient...

Leurs vêtements !

Maudissant sa lenteur d'esprit, Lief ôta sa cape et se rua en bordure des sables mouvants, tordant et nouant l'étoffe moelleuse afin d'en faire une corde solide.

— Barda ! cria-t-il.

Le colosse tourna vers lui un visage très pâle et tendu. Tenant d'une main ferme une extrémité de la corde improvisée, Lief lança l'autre. Barda la saisit au vol.

— Donne-la à Jasmine ! ordonna Lief. Je vais la haler sur la rive.

Au moment même où il prononçait ces mots, il songea que l'entreprise était quasiment vouée à l'échec. Jin et Jod, parvenus au gros rocher, se ramassaient pour sauter, leur adressant moqueries et injures. Dans une seconde, ils seraient sur les pierres de gué, près de Jasmine, la tireraient à eux, arracheraient la cape des mains de Lief. Il ne serait pas de taille à leur résister.

C'est alors que, comme par miracle, une forme sombre poussant des cris rauques fondit du ciel en piqué droit sur la tête des monstres.

Kree !

Jin et Jod braillèrent sous l'effet du choc quand l'oiseau les attaqua, leur lançant des coups de son bec aiguisé. Il vira pour échapper à leurs moulinets et repartit à l'assaut.

Lief tirait sur la cape de toutes ses forces. Il sentait Jasmine venir lentement vers lui à travers les sables mouvants. Trop lentement. Kree harcelait les monstres sans répit, mais Jod, à présent, tentait de le frapper avec la gaffe brisée. L'oiseau n'allait sans doute pas pouvoir tenir très longtemps.

Accablé, Lief redoubla d'ardeur, puis sentit deux mains près des siennes. Barda avait pris pied sur la berge et joignait sa force à la sienne. Ensemble, ils tirèrent, enfonçant les talons dans la boue. Et, à mesure qu'ils conjuguaient leurs efforts, Jasmine se rapprochait de plus en plus.

Elle avait dépassé les dernières feuilles pâles quand Kree cria. La gaffe, cinglant l'air comme un fouet, l'avait heurté à l'aile. Il voletait de-ci, de-là, affolé, perdant de la hauteur.

Jetant des hurlements de bêtes féroces, enfin libérés des attaques du corbeau, Jin et Jod sautèrent d'un même élan sur la première pierre de gué. Lief entrevit les dents métalliques de Jod, qu'il dénudait en signe de triomphe.

« C'en est fait de Jasmine, songea Lief, atterré. Et de nous tous. »

Mais Jasmine, le cou tordu, regardait par-dessus son épaule. À l'évidence, elle ne pensait qu'à Kree.

— Kree ! appela-t-elle. Traverse ! Vite !

L'oiseau, bien qu'hébété et souffrant, lui obéit. Il voleta au-dessus des douves, une de ses ailes presque immobile, ses pattes frôlant la vase. Une fois parvenu de l'autre côté, il s'effondra au sol.

Lief et Barda tiraient tant et plus sur la cape, les bras douloureux. Une secousse, une seule, et Jasmine serait assez proche pour qu'ils la hissent sur la berge. Une secousse, une seule...

Mais Jin et Jod fondaient sur eux à toute allure à travers les douves. Entre les feuilles vert pâle, les endroits brillants de vase leur indiquaient clairement la voie. Ils progressaient sans la moindre hésitation. Déjà, ils étaient à mi-parcours.

Tandis que Lief les observait, figé d'horreur, ils se lancèrent une fois encore en avant, rugissant férocement, leurs mains pourvues de serres prêtes à saisir leur proie.

Soudain, leur expression changea et ils hurlèrent. Leurs pieds avaient plongé dans le limon – mais sans trouver de prise dessous. Braillant de surprise et de terreur, ils chutèrent comme des pierres, leurs bras battant l'air avec frénésie tandis que leur poids énorme les entraînait vers le fond.

En un clin d'œil, ce fut terminé. Les cris atroces se turent. Les monstres avaient disparu dans le marécage.

Stupéfait et tremblant, Lief tendit le bras et agrippa Jasmine par un poignet. Barda prit l'autre et, ensemble, ils la tirèrent sur la berge. Avec son épaule blessée, elle devait souffrir le martyre – même ses lèvres étaient décolorées. Pourtant, elle ne laissa pas échapper la moindre plainte.

— Que s'est-il passé ? haleta Barda. Pourquoi se sont-ils enfoncés ? Il y avait des pierres de gué, là-bas... Nous-mêmes avons marché dessus ! Comment ont-elles pu disparaître ?

Jasmine força un pauvre sourire.

— Elles n'ont pas disparu, marmonna-t-elle. Elles se trouvent sous les feuilles que j'ai coupées et déplacées. Les monstres ont posé les pieds aux mauvais endroits – ceux où, auparavant, flottaient les feuilles. Je les savais assez stupides, et aveuglés par la colère, pour ne pas remarquer que le tracé avait changé. Ils ont sauté d'une plaque vert vif à la suivante, comme d'habitude.

Lief considéra les douves. Il n'avait pas noté, lui non plus, le changement de motif. Et maintenant, il n'arrivait plus à se rappeler de façon précise comment celui-ci était à l'origine.

Gémissant de douleur, Jasmine prit le petit flacon qu'elle portait à une chaîne autour de son cou. Lief savait ce qu'il contenait : un peu de nectar des Lys d'Éternelle Jouvence qui avait guéri Barda lorsque le chevalier l'avait blessé dans les Forêts du Silence.

Il crut qu'elle allait en enduire son entaille. Mais non... Elle rampa jusqu'à Kree. L'oiseau noir se débattait faiblement sur une zone de terre nue et sableuse, le bec ouvert et les yeux clos. Une de ses ailes pendait, flasque.

— Tu n'es pas retourné à la maison, vilain Kree, chantonna Jasmine. Tu m'as suivie. Ne t'avais-je pas averti du danger ? Et voilà à présent que ta pauvre aile est brisée. Cela dit, ne t'inquiète pas – tout va rentrer dans l'ordre.

Elle dévissa le bouchon d'argent et versa une goutte du liquide ambré sur le membre inerte.

Kree jeta un croassement rauque, cilla et bougea légèrement. Puis, d'un coup, il se dressa sur ses pattes, ébouriffa ses plumes et déploya largement ses deux ailes, en battant avec vigueur et gloussant à qui mieux mieux.

Lief et Barda rirent de plaisir devant ce spectacle. Que c'était bon de voir Kree guéri et de nouveau plein de force ! Que c'était bon, aussi, de contempler le visage radieux de Jasmine !

Il y eut un bruit sourd derrière eux. Ils se retournèrent : le Ralad s'assit et, désorienté, cligna des paupières. Son toupet de cheveux roux se dressait telle une crête. Ses yeux balayaient les alentours avec affolement.

— N'aie crainte, mon ami ! cria Barda. Les monstres sont partis. Partis à jamais !

Lief rejoignit Jasmine. La jeune fille s'était agenouillée dans l'herbe. Filli babillait à son oreille. Tous deux observaient Kree qui montait vers le ciel, puis descendait en plongeant, afin d'éprouver ses ailes.

Lief s'installa à côté d'elle.

— Permets-moi d'utiliser le nectar sur ta plaie, Jasmine.

Elle secoua la tête.

— Il faut le réserver pour les choses importantes.

Elle fourra la main dans sa poche et en sortit le baume avec lequel elle avait soigné le Ralad.

— Ce remède fera l'affaire, expliqua-t-elle. Ma blessure est sans gravité.

Lief voulut parlementer, puis se ravisa. Il commençait à apprendre que mieux valait laisser Jasmine agir à sa guise.

L'épaule, tuméfiée et rouge vif, était très contusionnée. Bientôt, elle virerait au pourpre sombre. L'entaille, au centre, était petite mais profonde. C'était là qu'avait dû s'enfoncer le tranchant de la lame.

Avec délicatesse, Lief enduisit la plaie de la pommade à l'odeur puissante. Jasmine, immobile, n'émit pas une plainte, bien que la douleur dût être atroce.

Barda s'approcha, accompagné du Ralad. Le petit homme leur adressa plusieurs hochements de tête et sourires, puis il joignit les paumes et esquissa une révérence.

— Il s'appelle Manus, déclara Barda. Il souhaite vous remercier de l'avoir sauvé des Gardes Gris et de Jin et Jod. Il dit que sa dette envers nous est immense

Lief sourit à son tour au Ralad.

— Tu ne nous dois rien, Manus. Tu as risqué ta vie pour nous, toi aussi.

Manus se pencha et, de ses longs doigts fins, traça une série de signes dans le sable.

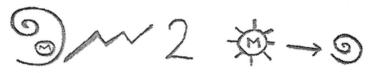

— « Tu m'as tiré deux fois des griffes de la mort, traduisit lentement Barda. Ma vie t'appartient. »

Manus hocha la tête avec vigueur et, à cet instant seulement, Lief comprit qu'il était muet.

Barda remarqua la surprise de son jeune compagnon.

— Aucun Ralad ne peut parler, Lief, expliqua-t-il d'un ton bourru. Thaegan y a veillé, voilà fort longtemps. C'était à l'époque où, par colère et par jalousie, elle a créé le Lac des Pleurs à partir de la splendeur de D'Or. Les Ralads de ce temps-là avaient élevé la voix contre elle. Elle... elle a mis un terme à leurs protestations et à celles des générations à venir. Pas un mot n'a été prononcé à Raladin depuis un siècle.

Lief frissonna. Quelle sorte de créature folle et malveillante était cette sorcière ? Puis ses pensées dérivèrent et il observa les sables mouvants retournés au silence. Quelque part dans ces profondeurs insondables reposaient Jin et Jod, leur méchanceté détruite à jamais.

Combien de temps faudrait-il à Thaegan pour découvrir ce qui s'était passé ? Une semaine ? Un jour ? Une heure ? Ou bien volait-elle déjà vers eux, écumante de rage, à la minute même ?

La sorcière avait privé de la parole un peuple entier sous prétexte que celui-ci avait osé protester contre elle. Quelle horrible vengeance réserverait-elle à Barda, à Jasmine et à Lief par la faute desquels deux de ses enfants avaient péri ?

File ! chuchota dans sa tête une petite voix chevrotante. *Rentre chez toi, glisse-toi au lit et enfouis-toi sous les couvertures ! Cache-toi ! Mets-toi à l'abri !*

Une main lui toucha le bras. Il leva les yeux et vit Manus lui adresser des signes pressants.

— Manus a hâte d'être à des lieues d'ici avant le coucher du soleil, dit Barda. Il redoute la venue de Thaegan. Même si nous avons tous besoin de repos, je lui ai promis que nous marcherions jusqu'à la limite de nos forces avant de dresser le camp pour la nuit. Es-tu prêt ?

Lief inspira à fond, chassant la voix murmurante de son esprit.

— Oui, répondit-il. Je le suis.

11

En route pour Raladin

Cette nuit-là, ils dormirent dans un bosquet d'arbres à plumes, loin de toute rivière, de tout sentier. Aucun d'eux ne voulait courir le risque qu'on les aperçoive et que Thaegan pût ainsi être mise sur leur piste.

Bien que transis de froid – leurs vêtements étaient encore humides et raides de vase, et ils n'osaient pas allumer de feu –, ils sombrèrent comme une masse dans le pays des rêves, épuisés par leurs aventures.

Peu après minuit, Lief remua. Le pâle clair de lune brillait à travers le feuillage, dessinant un damier d'ombre et de lumière sur le sol. Il régnait un profond silence.

Lief se retourna et essaya de se rendormir. Mais, quoique son corps fût rompu de fatigue, mille et une pensées se bousculaient dans son esprit, chassant le sommeil.

À côté de lui, Manus soupirait et s'agitait – des cauchemars, sans doute, le tourmentaient.

Et quoi de surprenant à cela ? À l'aide de signes et des étranges idéogrammes de son peuple, Manus leur avait conté son histoire. Jin et Jod l'avaient retenu prisonnier pendant cinq longues années. Il se rendait de Raladin à Del quand, alléché par l'arôme tentateur des arbres à plumes, il avait quitté le sentier, était tombé dans les sables mouvants et avait été capturé.

Lief préférait ne pas penser aux souffrances qu'avait endurées le petit homme depuis lors. Barda ne comprenait pas parfaitement le langage écrit de Manus ; cependant, il avait pu en traduire assez pour reconstituer l'horrible récit.

Jin et Jod avaient réduit le Ralad en esclavage, l'avaient battu, affamé et traité avec une cruauté inouïe. Attaché au mur de la cuisine, il avait été contraint de regarder les deux monstres attraper, tuer et dévorer leurs victimes sans pouvoir intervenir. Il avait enfin réussi à s'évader... pour tomber, hélas, aux mains d'une troupe de Gardes Gris alors qu'il n'était plus très loin de chez lui.

Pendant cinq ans, il avait vécu dans la peur et le dégoût en compagnie du mal.

Ce qui expliquait que son sommeil fût hanté de mauvais rêves.

Quand Lief lui avait demandé combien de temps il leur faudrait pour gagner Raladin, il avait répondu très vite, griffonnant dans la terre avec le doigt.

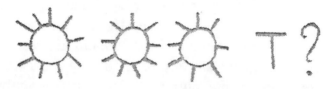

Barda avait examiné les signes.

— Trois jours, avait-il déclaré d'une voix accablée. À condition que Thaegan ne nous attrape pas d'ici là.

À condition que Thaegan ne nous attrape pas d'ici là...

Lief, recroquevillé, frissonna en se remémorant la lettre « T » et le point d'interrogation. Où était la sorcière en ce moment ? Que faisait-elle ? Quels ordres donnait-elle ?

L'obscurité semblait vouloir absorber le garçon en elle. Le silence était lourd et chargé de menaces. Peut-être, à cette minute même, les démons de Thaegan se glissaient-ils vers lui, telles des ombres furtives. Peut-être tendaient-ils leurs longues mains osseuses pour agripper ses pieds et ses chevilles, et l'emporter, hurlant, à des lieues d'ici...

De la sueur lui emperla le front. Un cri de terreur resta bloqué dans sa gorge. Il s'efforça de demeurer immobile, de ne pas réveiller ses compagnons. Mais la peur enfla en lui au point qu'il sentit le besoin de hurler.

La topaze protège celui qui la porte des terreurs de la nuit...

Il tâtonna sous sa chemise et pressa ses doigts tremblants contre la pierre ambrée. Presque aussitôt, les ombres parurent se ratatiner et son cœur ralentit ses battements affolés.

Le souffle court, Lief roula sur le dos et scruta le ciel à travers la ramure des arbres à plumes. La lune, bientôt pleine, était à son premier quartier. Se profilant en ombre chinoise contre la voûte étoilée, Kree dressait sa fière silhouette, perché sur la branche d'un arbre mort. L'oiseau avait la tête levée et ses yeux jaunes étincelaient à la lueur de l'astre nocturne.

Le corbeau ne dormait pas. Il était sur le qui-vive. Il veillait.

Étrangement réconforté, Lief roula de nouveau sur le flanc. « Seulement trois jours, pensa-t-il. Seulement trois jours pour atteindre Raladin. Et Thaegan ne nous attrapera pas. Non, elle ne nous attrapera pas. »

Il ferma les paupières et, toujours étreignant la topaze, il laissa son esprit trouver peu à peu l'apaisement dans le sommeil.

Au matin, ils se remirent en route. D'abord, ils n'empruntèrent que de petits sentiers bien dissimulés. Petit à petit, cependant, ils furent forcés de cheminer à découvert à mesure qu'arbres et taillis se clairsemaient et que le sol devenait de plus en plus aride.

Ils ne croisèrent pas âme qui vive. De temps à autre, ils dépassaient des maisons et des bâtiments plus vastes – d'anciens entrepôts à grain ou étables. Tous étaient désaffectés et tombaient en ruine. Certains portaient la marque du Seigneur des Ténèbres.

En fin de journée, alors que la lumière commençait à baisser, ils firent halte dans une demeure vide et dressèrent leur camp pour la nuit.

Ils emplirent leurs outres au puits et mangèrent ce qu'ils purent dénicher d'encore comestible.

Ils prirent aussi divers objets – une corde, des couvertures, des vêtements, une pelle, un pot pour faire bouillir de l'eau, des bougies et une lanterne.

Lief était gêné à l'idée de faire main basse sur les affaires d'autrui. Mais Manus, dont le cœur se serrait dès qu'il remarquait la moindre trace de peur, de destruction ou de désespoir, secoua la tête et indiqua du doigt une petite éraflure dans un mur, près d'une fenêtre. C'était un signe semblable à celui qu'il avait tracé dans la poussière de la clairière lorsqu'il avait vu les trois compagnons pour la première fois.

Désormais, il leur faisait suffisamment confiance pour leur révéler ce qu'il signifiait. Dans le langage des Ralads, il désignait à la fois un oiseau et la liberté. Mais il s'était répandu bien au-delà de Raladin et avait pris un sens particulier à travers tout le royaume de Deltora. Avec soin, Manus l'expliqua :

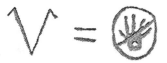

L'idéogramme représentant la liberté était devenu un symbole secret qu'utilisaient ceux qui avaient fait le serment de combattre la tyrannie du Seigneur des Ténèbres. C'est ainsi qu'ils se reconnaissaient entre eux – et distinguaient les amis des ennemis.

Avant de mourir ou de s'enfuir, les habitants de la maison l'avaient laissé à l'intention d'un éventuel voyageur partageant leurs idées. C'était l'unique façon qu'ils avaient de relever la tête dans la défaite et de manifester leur espoir pour des lendemains meilleurs.

Les explications du Ralad rassurèrent Lief. Il comprit que ces gens auraient donné avec joie tout ce qu'ils possédaient afin de servir la cause.

« En fait, rencontrer Manus a été un sacré coup de chance, pensa-t-il. On dirait que le destin nous a réunis dans un but précis. Qu'une main invisible guide nos pas. »

Lief eut presque honte de cette pensée. Comme ses amis de Del, il s'était toujours moqué de ce genre de discours. Toutefois, son périple lui avait appris qu'il y avait beaucoup de choses dont ses amis ne savaient rien et qu'il lui restait encore beaucoup de mystères à comprendre.

Ils repartirent le lendemain matin. À présent qu'ils étaient au courant, ils voyaient partout le symbole de la liberté : tracé à la craie sur des murs et des clôtures à demi effondrés, inscrit sur le sol avec des cailloux, gravé au couteau sur le tronc des arbres...

Chaque fois qu'il l'apercevait, Lief sentait l'espoir gonfler son cœur. Le signe était la preuve que, quelle que fût la situation dans la cité de Del, à la campagne il y avait toujours des gens aussi déterminés que lui à défier le Seigneur des Ténèbres.

Manus, pour sa part, affichait une mine de plus en plus grave et préoccupée. La vue de la campagne déserte, des demeures délabrées, lui faisait redouter le pire pour son propre village.

Il avait quitté celui-ci, semblait-il, quand la rumeur avait couru que le Seigneur des Ténèbres, en quête de nouveaux esclaves, avait jeté son dévolu sur Raladin. Le tyran avait entendu dire que les Ralads étaient des travailleurs durs à la tâche et des bâtisseurs hors pair.

Manus avait été chargé de prendre contact avec les groupes qui, supposaient les Ralads, devaient avoir organisé la résistance à Del. Ils ignoraient alors que toute forme de rébellion avait été sauvagement réprimée depuis longtemps dans la cité et que leur espoir d'y trouver de l'aide était vain.

Manus avait été absent de chez lui plus de cinq ans – cinq longues années au cours desquelles Thaegan avait dévasté davantage encore le pays. Qu'est-ce qui attendait le petit homme à Raladin ? Il n'en avait pas la moindre idée.

Néanmoins, il poursuivait sa route avec obstination, pressant l'allure malgré son épuisement. À la fin du troisième jour, les trois compagnons eurent toutes les peines du monde à le persuader de faire halte pour prendre un peu de repos.

✳

Lief devait se rappeler longtemps la journée du lendemain.

Ils se levèrent à l'aube et quittèrent la chaumière où ils avaient trouvé un abri pour la nuit. Courant presque, Manus leur fit traverser une prairie, puis s'enfonça dans un épais fourré broussailleux.

Ils découvrirent une petite mare peu profonde, qu'alimentait une rivière qui dévalait en glougloutant le flanc de molles collines. Manus en remonta le lit, tantôt marchant dans l'eau, tantôt trottinant sur la berge. Les trois compagnons avaient du mal à se maintenir à sa hauteur et s'évertuaient à ne pas perdre de vue son toupet de cheveux roux quand il filait brusquement en avant.

Le petit homme ne soufflait mot. Sa tension devenait palpable à mesure qu'il se rapprochait du foyer dont il s'était tant langui. Parvenu au pied d'une chute d'eau qui cascadait en un voile vaporeux du sommet d'un surplomb rocheux, il s'arrêta enfin.

Il se retourna pour attendre ses amis, son visage vide de toute expression. Quand ils le rejoignirent, cependant, il ne bougea pas d'un pouce.

« Nous touchons au but de notre voyage, songea Lief. Et Manus a peur de franchir le dernier pas... Il redoute ce qu'il va trouver. »

Le silence s'éternisait. Jasmine finit par le rompre.

— Il vaut mieux savoir, dit-elle.

Manus la dévisagea un moment. Puis, sans crier gare, il pivota sur les talons et s'engouffra sous la cascade.

Les trois compagnons le suivirent à la file indienne et frissonnèrent au contact de l'eau glacée. Devant eux, il n'y avait qu'obscurité – d'abord celle d'une grotte et, plus profonde encore, celle d'un tunnel. Ensuite, une douce lueur apparut dans le lointain, dont l'éclat devenait plus vif à mesure qu'ils avançaient.

Ils émergèrent à l'air libre par une ouverture percée sur l'autre versant de la colline et clignèrent des yeux, éblouis par la lumière. Un sentier en cailloux conduisait à un coquet village de petites maisons rondes, d'ateliers et de salles communes. Chaque bâtisse, aux lignes sobres mais d'une grande élégance, était en briques de terre cuite arrondies. Les édifices entouraient une place pavée de larges pierres plates, au centre de laquelle jaillissait une fontaine, dont l'eau limpide étincelait au soleil.

Aucune lumière, toutefois, ne brillait à l'intérieur des demeures. D'épaisses toiles d'araignées obstruaient les fenêtres. Et hormis les portes ouvertes qui grinçaient çà et là sur leurs gonds au souffle de la brise, rien ne bougeait.

12

Musique

Ils descendirent le sentier de cailloux jusqu'au village et se mirent en quête de quelque signe de vie. Lief et Jasmine explorèrent les lieux méthodiquement, le cœur de plus en plus lourd. Manus, au désespoir, s'élançait d'une maison à l'autre. Barda le suivait, la mine sombre.

Chaque habitation était déserte. Ce qui n'avait pu être emporté avait été détruit.

Quand enfin ils se retrouvèrent près de la fontaine, la figure du Ralad était plissée de chagrin.

— Manus pense que son peuple a été emmené en captivité au Pays des Ténèbres... ou tué, murmura Barda.

— Peut-être tes amis ont-ils abandonné Raladin afin d'échapper aux Gardes Gris, déclara Lief.

Le petit homme secoua la tête avec vigueur.

— Ils n'auraient jamais quitté le village de leur plein gré, expliqua Barda. Cet endroit leur appartient depuis toujours.

Il désigna de l'index les tas d'immondices et les cendres qui parsemaient les rues et la place.

— Des restes des Gardes Gris, affirma-t-il avec une moue de mépris. Ils ont sans doute campé ici quelque temps. Et voyez comme les toiles d'araignées tapissent les fenêtres d'une couche épaisse. À mon avis, Raladin est vide de ses habitants depuis un an ou plus.

Manus se laissa tomber sur la margelle. Ses pieds heurtèrent un objet coincé entre un pavé et la base de la fontaine. Il se baissa pour le ramasser. C'était une longue flûte taillée dans un morceau de bois. Il la nicha au creux de ses bras et inclina la tête.

— Qu'allons-nous faire ? chuchota Lief, l'observant.

Jasmine haussa les épaules.

— Nous reposer une journée et poursuivre notre route, répliqua-t-elle. Nous ne sommes plus loin, désormais, du Lac des Pleurs. Manus, j'en suis sûre, nous y conduira. Plus rien ne le retient en ces lieux.

Elle avait parlé d'un ton froid et morne. Cette fois, cependant, Lief ne commit pas l'erreur de penser que le sort du petit homme l'indifférait. Il savait, à

107

présent, combien Jasmine était experte dans l'art de dissimuler ce qu'elle éprouvait.

Soudain, un son cristallin, magnifique, s'éleva dans l'air. Lief vit que Manus avait porté la flûte à ses lèvres et jouait. Les paupières closes, il se balançait doucement.

Lief demeura figé, envoûté, tandis que les notes pures et fluides lui emplissaient les oreilles et l'esprit. C'était la musique la plus exquise qu'il eût jamais entendue... la plus poignante, aussi. On aurait dit que les sentiments de perte et de chagrin que Manus ne pouvait exprimer à voix haute se déversaient directement de son cœur par l'intermédiaire de l'instrument.

Les larmes brûlaient les yeux de Lief. À Del, il n'avait jamais pleuré, craignant les moqueries. Mais là, en cet instant, il n'en ressentait aucune honte.

Barda se tenait immobile près de lui. Jasmine, à quelques pas, ses yeux émeraude assombris par la pitié, serrait Filli dans ses bras. Le petit animal, droit comme un I, fixait Manus, émerveillé. Kree, lui, était perché sur l'épaule de la jeune fille, telle une statue. Tous étaient captivés par la beauté de l'adieu que Manus adressait à son peuple perdu.

C'est alors que Lief perçut un mouvement à un angle de la place, dans le dos de Jasmine. Il cligna fort des yeux, croyant d'abord que les pleurs brouillaient sa vision. Pourtant non, il n'y avait pas à s'y méprendre – un des gros pavés se soulevait.

Il poussa un cri étranglé. Jasmine, perplexe, lui lança un coup d'œil et se retourna pour regarder derrière elle.

La pierre glissait en silence hors de son logement. En dessous, on distinguait un espace profond où brillait une chaude lueur. Quelque chose s'y déplaçait !

Lief entraperçut une tête surmontée d'un toupet roux et deux minuscules yeux noirs qui observaient d'un air interrogateur. Puis une main gris-bleu aux longs doigts déliés repoussa d'un geste la pierre de côté. Et, en un instant, des dizaines de Ralads émergèrent de leur cachette et se précipitèrent vers Manus.

Bouche bée, Lief constata que le même phénomène se produisait aux trois autres angles de la place. Des pavés glissaient et des Ralads surgissaient comme des diables de leur boîte.

Il y en avait des centaines... Des adultes, des enfants de tout âge. Tous applaudissaient, riaient, se bousculaient pour saluer Manus qui, laissant tomber sa flûte, s'était dressé d'un bond, son visage rayonnant de joie.

✳

Des heures plus tard, après s'être lavés et gavé de mets délicieux, Lief, Barda et Jasmine se reposaient sur une couche moelleuse de fougère et de couvertures. Émerveillés, ils contemplaient les prodiges accomplis par les Ralads en quelques brèves années.

La caverne était immense. Des lanternes la baignaient d'une douce clarté. D'un côté, un ruisseau venait alimenter une mare profonde et limpide. De l'air frais et suave soufflait agréablement à travers des tuyaux à ciel ouvert installés dans les cheminées des maisons au-dessus. Les Ralads avaient édifié des chaumières, des magasins et une salle publique ; ils avaient même prévu des rues et une place semblable à celle qui était en surface.

— Creuser cette caverne et y construire un village dissimulé a dû être un travail de titan ! murmura Lief. On dirait le souterrain secret que leurs ancêtres ont foré sous le palais de Del. Mais mille fois plus vaste !

Barda hocha le menton d'un air endormi.

— Ne t'avais-je pas affirmé que les Ralads étaient des ouvriers infatigables et d'ingénieux bâtisseurs ? Et aussi qu'ils n'abandonneraient jamais Raladin. Cela étant, j'avoue que j'étais loin d'imaginer pareille merveille !

— Et, apparemment, Thaegan et les Gardes Gris non plus, ajouta Jasmine en bâillant, les paupières closes. Les Gardes Gris ont pris leurs quartiers au-dessus de cet endroit sans soupçonner une seconde que les Ralads se cachaient sous terre !

— Comme nous, avant qu'ils ne se montrent, répliqua Lief. Et ils ne l'ont fait que parce qu'ils ont entendu le son de la flûte de Manus.

Jasmine rit. Et, pour la première fois depuis qu'il la connaissait, le garçon la vit sereine.

— C'est une bonne chose, reprit-elle. Le Seigneur des Ténèbres doit être très en colère que les Ralads lui aient filé entre les doigts. Plus les Gardes Gris passeront du temps à les chercher, moins ils en auront pour nous causer des ennuis.

Lief observa Manus qui, entouré par ses amis, décrivait encore et encore ses aventures et les dangers qu'il avait affrontés depuis son départ. Il griffonnait sur un mur de la caverne avec une sorte de craie, effaçant les signes presque immédiatement après les avoir tracés.

— Croyez-vous que Manus va nous conduire au Lac des Pleurs, à présent qu'il a retrouvé les siens ? s'enquit-il.

— Oui, murmura Barda. Mais pas avant quelques jours, je pense. Et c'est bien ainsi. Cela nous obligera à nous reposer – et voilà ce dont nous avons surtout besoin. (Il s'étira paresseusement.) Je vais dormir, annonça-t-il. Il fait encore jour, mais qui pourrait l'affirmer, là-dessous ?

Lief opina. Jasmine ne répondit pas. Elle dormait déjà.

Peu après, Manus et les autres se réunirent sur la place centrale. À demi somnolent, Lief se demanda ce qu'ils faisaient, puis il ne tarda pas à comprendre.

Une suave musique emplit bientôt l'air – celle de centaines de flûtes qui jouaient de concert afin d'exprimer la gratitude, le bonheur, l'amitié et la paix. Les Ralads fêtaient le retour de celui qu'ils croyaient perdu. Et Manus était parmi eux, déversant dans sa flûte la joie dont débordait son cœur.

Lief, immobile, laissa la musique déferler sur lui en vagues mélodieuses. Ses paupières s'alourdirent et il ne tenta pas de résister au sommeil. Barda avait raison. C'était un luxe de pouvoir enfin dormir sur leurs deux oreilles, à l'abri du mal et des mauvaises surprises. Il ne fallait pas laisser passer l'occasion.

Ils séjournèrent trois jours de plus à Raladin. Et, durant ces trois jours, ils apprirent une foule de détails sur les Ralads et sur leur mode de vie. Par exemple, qu'ils ne restaient pas en permanence sous terre. Quand aucun danger ne les menaçait, ils remontaient à la surface cultiver des potagers habilement dissimulés, inspecter et réparer les conduits qui ventilaient la caverne ainsi que les signaux d'alarme qui les alertaient lorsque des gens s'approchaient du village. Ils montraient aussi aux enfants comment construire et restaurer des édifices ou, plus simplement, paressaient au soleil.

En revanche, ils ne jouaient jamais de la flûte, de peur qu'on n'entende leur musique. Ils ne le faisaient que dans leur cachette souterraine, cessant dès que des intrus étaient signalés. Que Manus eût trouvé la flûte tenait du miracle. Elle avait été oubliée là des années auparavant, à l'époque où ils creusaient encore leur caverne en secret. Elle y était restée depuis, comme si elle l'attendait.

À l'aube du quatrième jour, les trois compagnons décidèrent qu'il était temps de partir. Ils avaient recouvré leurs forces, s'étaient bien nourris et reposés. La blessure de Jasmine était presque guérie. Leurs vêtements étaient propres et secs, et les Ralads leur avaient offert à chacun un sac de vivres.

Ils regagnèrent la surface, le cœur lourd. Ils n'avaient plus de raison de s'attarder, mais aucun d'eux n'avait envie de s'en aller. Cette période de trêve rendait encore plus sinistre et terrifiante la tâche à venir.

Ils confièrent enfin aux Ralads leur destination. Manus leur avait recommandé de tenir leur langue le plus longtemps possible. À présent, ils comprenaient pourquoi.

Les Ralads, horrifiés, se pressaient autour des voyageurs, refusant de les laisser passer, agrippant Manus. Puis ils se mirent à écrire sur le sol, si vite que même Barda ne parvint pas à déchiffrer les phrases.

— Nous savons que le Lac des Pleurs est un lieu

ensorcelé et interdit, leur expliqua Lief, et que nous y affronterons maint péril. Mais ce ne sera pas la première fois.

Les Ralads secouèrent la tête, accablés devant pareille sottise. De nouveau, ils griffonnèrent – d'innombrables symboles de mal et de mort, ainsi qu'un signe plus grand que les autres, et qui se répétait.

— Qu'est-ce que cela signifie ? Que redoutent-ils par-dessus tout ? murmura Lief à Manus.

Le petit homme grimaça et traça avec soin un mot, un seul, dans la poussière :

SOLDEEN

13

Le Lac des Pleurs

Jasmine fronça les sourcils.

— Soldeen ? Qu'est-ce que c'est ? demanda-t-elle.

Mais Manus ne put, ou ne voulut pas, s'expliquer.

— Nous devons affronter ce Soldeen, gronda Barda, quoi qu'il soit. Et Thaegan, si elle se lance à nos trousses.

Les Ralads serrèrent les rangs en entendant le nom de la sorcière. Leurs visages étaient très graves. À l'évidence, ils pensaient que les voyageurs n'avaient pas conscience du péril. En d'autres termes, Manus allait mourir avec eux, puisqu'il était résolu à leur servir de guide.

— N'ayez crainte, déclara Lief, farouche. Nous sommes armés. Si Thaegan essaie de nous jouer un de ses mauvais tours, nous la tuerons !

Les Ralads secouèrent la tête et se remirent à griffonner. Barda se pencha et se rembrunit.

— Ils disent que c'est impossible, traduisit-il enfin à contrecœur. Car la seule façon de tuer une sorcière est de faire couler son sang. Or une armure de magie protège le corps de Thaegan. Beaucoup ont tenté de la transpercer. Tous ont échoué au prix de leur vie.

Lief jeta un coup d'œil à Jasmine. Elle fixait Kree du regard. L'oiseau volait haut au-dessus d'eux, les ailes déployées.

Lief se mordit la lèvre et se tourna de nouveau vers les Ralads.

— Dans ce cas, nous nous cacherons d'elle, déclara-t-il. Nous nous dissimulerons, nous ramperons, nous ferons tout pour qu'elle ne remarque pas notre présence. Mais le devoir nous commande d'aller au Lac des Pleurs. Et nous irons.

Simone, la plus grande femme parmi les Ralads, s'avança et traça une ligne sur le sol.

— Nous ne pouvons vous dire pourquoi, répliqua Barda. Mais ne croyez pas que nous nous précipitons inconsciemment au-devant du danger. Nous avons prêté serment d'entreprendre une quête pour le bien de Deltora et de ses habitants.

Simone scruta Barda avec attention, puis opina lentement. Ensuite, les Ralads s'écartèrent afin de libérer l'accès à l'étroit sentier sinueux qui menait hors du village.

Manus prit la tête, le menton levé. Il ne se retourna pas, contrairement à Lief.

Les Ralads, immobiles, les observaient, serrés les uns contre les autres, la main pressée sur le cœur. Et ils demeurèrent ainsi jusqu'à ce que les voyageurs aient disparu à leur vue.

✳

En milieu d'après-midi, le chemin devint raboteux et les collines plus déchiquetées. Des arbres morts dressaient leurs branches incolores vers le ciel pâle. L'herbe crissait sous les pieds, les buissons, poussiéreux, étaient bas et rabougris.

Ils y entendirent des bruissements précipités, ainsi que des froissements dans les trous sombres, entre les racines des arbres. Ils n'aperçurent pourtant aucune créature vivante. L'air était lourd, pas un souffle ne l'agitait, et ils avaient du mal à respirer. Ils s'arrêtèrent brièvement pour se restaurer et se remirent très vite en route. Les bruits autour d'eux les inquiétaient et ils avaient l'impression d'être observés.

À mesure que le soleil déclinait sur l'horizon, Manus se mit à ralentir l'allure, traînant des pieds. Ses compagnons progressaient avec peine derrière lui en file indienne, scrutant le sol rendu traître par des crevasses, des ornières et des pierres. Leur intuition leur soufflait qu'ils approchaient du but.

Ils parvinrent enfin à un endroit où le pied de deux escarpements rocheux formait un V étroit, au-delà duquel la boule embrasée du soleil couchant, rougeoyant comme un signal de danger, teintait le ciel d'écarlate.

Le Ralad s'arrêta en chancelant et s'adossa à un des rochers. Il avait la peau aussi grise que la poussière, les yeux emplis de frayeur.

— Manus, est-ce que le Lac...

Lief avait la voix si rauque qu'il s'interrompit pour déglutir.

— Est-ce que le Lac se trouve après ces rochers ? reprit-il.

Manus opina du menton.

— Dans ce cas, il est inutile que tu ailles plus loin, déclara Barda. Tu nous as conduits jusqu'ici, nous n'en attendions pas plus de toi. Retourne rejoindre tes amis. Ils doivent guetter ton retour avec impatience.

Mais Manus serra les lèvres et secoua la tête. Il prit une pierre et écrivit sur le rocher.

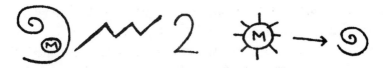

Lief comprit la phrase sans que Barda ait besoin de la lui traduire. Il l'avait déjà lue auparavant.

« Tu m'as tiré deux fois des griffes de la mort. Ma vie t'appartient. »

Lief, Jasmine et Barda se mirent à parler en même temps. Aucun de leurs arguments, toutefois, ne parvint à dissuader Manus. En fait, ils semblaient même renforcer sa décision. Sa respiration se ralentit, ses joues reprirent de la couleur et une lueur déterminée commença à briller dans ses yeux éteints.

Enfin, il décida de passer à l'action. Leur tournant brusquement le dos, il partit au pas de course vers le défilé entre les deux rochers et, en un clin d'œil, disparut à leur vue. Ils n'eurent d'autre choix que de s'élancer à sa suite.

À la queue leu leu, ils avancèrent en trébuchant dans l'étroit passage, restant groupés et aussi près du Ralad que possible. Ils étaient si concentrés que le spectacle qui les attendait au bout de la gorge les prit complètement au dépourvu.

Devant eux s'étendait un lac sombre entouré de berges faites d'une boue épaisse criblée de ce qui ressemblait à des trous de vers de vase. En son centre, un rocher visqueux suintait d'une eau qui gouttait constamment, dessinant des rides paresseuses et grasses à la surface.

Des pics nus et tordus se dressaient en surplomb, telles des créatures hantées. Il n'y avait pas la moindre trace de végétation. Il régnait un silence de mort, uniquement brisé par le clapotis de l'eau et les bruits de succion de la vase. Une odeur d'humidité et de décomposition saturait l'air. Le lieu n'était qu'amertume, laideur et tristesse.

L'estomac de Lief se serra. Le Lac des Pleurs portait bien son nom. Ainsi, c'était là ce que la sorcière Thaegan avait fait de la cité de D'Or – la ville « semblable à un jardin », avait précisé Jasmine. Il entendit Barda jurer entre ses dents, et Jasmine siffler Filli et Kree.

Manus se contentait de fixer le Lac du regard, tremblant devant cette horreur dont il avait entendu parler depuis toujours sans l'avoir jamais vue. La démonstration de la jalousie et de la malveillance de Thaegan. Le mal qui avait fait protester son peuple et la terrible punition qui s'en était suivie.

— La Ceinture est-elle chaude ? murmura Barda à l'oreille de Lief. Perçoit-elle la présence d'une pierre précieuse ?

Lief secoua la tête.

— Nous devons nous approcher davantage.

Manus l'examina avec curiosité. Il avait surpris leurs propos.

« Il est venu avec nous jusque-là, pensa Lief. Nous devons l'informer... au moins dans les grandes lignes. Il comprendra plus tard, si nous réussissons. »

— Nous cherchons une pierre précieuse qui, d'après nous, est cachée ici, dit-il au Ralad en pesant ses mots. Mais notre mission est ultrasecrète. Si nous la trouvons, tu ne devras en parler à personne, sous aucun prétexte.

Manus hocha la tête, la main sur le cœur.

Ils franchirent tant bien que mal les derniers rochers et arrivèrent en vue de la barrière de vase qui ceignait le Lac.

— Cette vase n'est peut-être pas sûre, marmonna Jasmine, se rappelant les sables mouvants.

— Il n'y a pas trente-six façons de le savoir, rétorqua Barda.

Il avança d'un pas et s'enfonça jusqu'aux chevilles dans le fin limon gris.

Avec précaution, les autres le rejoignirent. Posant leurs sacs à terre, ils allèrent vers le Lac, laissant de profondes empreintes. Lief s'accroupit et toucha l'eau du bout des doigts.

Aussitôt, la Ceinture autour de sa taille se réchauffa. Lief sentit son cœur cogner dans sa poitrine.

— La pierre est là, annonça-t-il à voix basse. Elle doit être quelque part sous l'eau.

Sa cheville le démangeait. Distraitement, il voulut se gratter. Sa paume effleura une chose qui avait la consistance d'une gelée gluante. Il regarda et cria d'horreur et de dégoût. Sa peau grouillait d'énormes vers translucides. Déjà, gorgés de sang, ils devenaient de plus en plus foncés.

Lief se releva d'un bond et donna de vigoureuses ruades pour tenter de les décrocher.

— Calme-toi ! s'exclama Jasmine.

Elle s'élança et prit le pied de Lief entre ses mains. Avec une moue écœurée, elle entreprit d'ôter une par une les créatures qui se tortillaient, les lançant au loin d'une pichenette.

Les corps gonflés se dispersèrent sur la vase grise et dans l'eau. Lief, l'estomac soulevé, vit d'autres choses répugnantes sortir, ondoyantes et rampantes, de la fange pour les happer au vol de leurs bouches avides.

Et bientôt, la vase s'anima d'une horrible faune poisseuse, qui ondulait, se contractait, se contorsionnait hors de sa cachette, se battant pour attraper les vers et les tailler en pièces.

En un clin d'œil, les êtres infects s'enroulèrent autour des pieds des voyageurs, remontant, impatients, le long de leurs jambes afin de se délecter de chair nue et chaude.

Jasmine ne pouvait plus rien pour Lief. À présent, l'air retentissait des hurlements de panique des trois compagnons. Manus, incapable de parler, trébuchait, presque entièrement recouvert de formes lovées – des formes dépourvues d'yeux et qui n'émettaient aucun cri.

La situation était désespérée. Bientôt, ils allaient être submergés... dévorés vivants !

Filli poussait des gémissements pitoyables. Kree, attaquant en piqué, mordait les créatures sur les bras de Jasmine, luttant pour se libérer de celles qui s'agglutinaient sur ses pattes et ses ailes, et qui le tiraient vers le sol.

Puis, d'un coup, comme en réponse à un signal, les bêtes immondes se figèrent. Par centaines, elles commencèrent à se laisser glisser à terre et à se creuser un chemin sous la vase. Et, très vite, elles disparurent.

Un silence sinistre s'abattit sur le Lac.

Tremblant de tous ses membres, Jasmine se mit à frotter fébrilement ses bras, ses jambes, ses vêtements, comme si elle sentait encore les mouvements des monstres sur son corps.

Lief, quant à lui, se tenait immobile, l'air hébété.

— Que s'est-il passé ? demanda-t-il d'une voix rauque. Pourquoi... ?

— Peut-être ne nous ont-elles pas trouvés à leur goût, rétorqua Barda avec un rire nerveux.

Il se retourna pour tendre la main à Manus tombé à genoux dans la fange bouillonnante.

À cet instant, Lief aperçut un sillage de bulles filant vers eux à toute vitesse depuis le centre du Lac.

— Barda ! Jasmine ! brailla-t-il.

À peine la mise en garde avait-elle franchi ses lèvres, que l'eau se souleva en une gerbe huileuse. Une créature, gigantesque et hideuse, se dressa hors des profondeurs.

De la vase ruisselait de sa peau. Dans sa gueule béante aux dents acérées, tourbillonnait un magma d'eau, de vers et de boue. De redoutables piquants hérissaient son dos et ses flancs, et jaillissaient, telles d'étroites lances, sous des yeux qui brûlaient d'une faim insatiable et féroce.

Le monstre fit un mouvement brusque en direction des quatre voyageurs et lança son corps sur la grève avec un rugissement sifflant qui glaça le sang de Lief.

C'était Soldeen, il le savait.

14

Soldeen

Lief chancela en arrière, tirant désespérément son épée, avant de constater que le monstre avait choisi Manus et Barda pour victimes. Tous deux, jetés à terre, creusaient la vase comme des forcenés afin de lui échapper. Mais Soldeen était quasiment sur eux, ouvrant et fermant ses terribles mâchoires tel un immense piège cruel.

Sans s'en rendre compte, Lief se rua en avant, lançant des cris à la créature, plongeant son épée dans le large cou épineux.

L'arme vola de ses mains lorsque Soldeen pivota. Elle resta fichée, vibrante, dans sa peau visqueuse. La lame ne lui causait guère plus qu'une vague irritation – mais il n'avait pas l'habitude qu'on le défie. Et sa colère, à présent, était aussi grande que sa faim.

Il bondit vers Lief, la gueule béante. Le garçon se recula d'un saut. . et s'étala de tout son long sur les sacs qu'ils avaient laissés là quelques minutes auparavant.

Il demeura allongé sur le dos, sonné. Il entendit Barda et Jasmine hurler de terreur, lui crier de se relever et de s'échapper.

Trop tard. Et il n'avait plus d'arme, plus rien pour le protéger de ces effroyables mâchoires, de ces canines acérées. Excepté...

Il se contorsionna et saisit deux des sacs par leurs courroies. Bandant ses muscles, il les fit tournoyer et les projeta droit dans la gorge du monstre.

Soldeen battit en retraite, suffoquant, secouant son énorme tête de côté et d'autre, fouettant l'air de sa queue, barattant l'eau jusqu'à la transformer en une écume boueuse. L'épée s'arracha de son cou et vint se planter dans la vase aux pieds de Lief.

Le garçon s'en empara, se mit debout et courut, courut comme s'il avait le diable aux trousses, braillant à ses amis de le suivre. Il savait qu'ils ne disposaient que de peu de temps pour fuir. Sous peu, Soldeen avalerait les sacs ou les recracherait.

Parvenu aux rochers, Lief se retourna. Barda se hissait tant bien que mal non loin de lui, tenant Manus dans ses bras. Jasmine, Filli et Kree les talonnaient.

Quant à Soldeen, il regagnait le Lac des Pleurs.

126

Il s'enfonça de nouveau dans les profondeurs fangeuses et disparut.

✳

L'obscurité tomba. Les quatre compagnons demeurèrent sur les rochers, peu désireux de s'éloigner du Lac, même s'ils redoutaient à chaque instant une nouvelle attaque surgie des eaux sombres.

Jasmine et Barda n'avaient plus de provisions ; c'étaient leurs sacs qu'avait sacrifiés Lief. Tous se blottissaient, misérables, les uns contre les autres, se partageant le reste des couvertures et des aliments imprégnés d'humidité qui sentaient la vase et les vers. Des bruissements furtifs, des bruits de succion et le clapotis de l'eau tombant goute à goutte du rocher qui pleure leur mettaient les nerfs à vif.

Lorsque la pleine lune se leva, baignant le Lac d'un flot de lumière spectrale, ils s'efforcèrent de parler, de dresser des plans, de décider de la marche à suivre. Si une pierre précieuse se dissimulait quelque part au fond de ces eaux boueuses, comment pourraient-ils jamais la trouver ?

Ils envisagèrent de retourner à Raladin chercher des outils afin d'assécher le Lac. Mais une tâche de cette ampleur prendrait des mois et chacun doutait vivre jusque-là pour la mener à bien. Soldeen, les créatures de la vase et Thaegan en personne y veilleraient.

Deux d'entre eux pouvaient essayer d'attirer Soldeen sur une rive du Lac, tandis que les deux autres plongeraient, de la berge opposée, à la recherche de la pierre. Sauf que tous quatre étaient intimement persuadés qu'un tel projet était voué à l'échec. Soldeen sentirait l'agitation de l'eau et ferait demi-tour pour passer à l'attaque.

À mesure que les heures s'égrenaient, ils se murèrent dans le silence. Leur cause semblait désespérée. La tristesse pesante du lieu s'était infiltrée au plus profond d'eux-mêmes.

Se souvenant que la topaze possédait le maximum de ses pouvoirs à la pleine lune, Lief posa la main dessus. Et son cœur se gonfla d'un regain d'espérance au moment où son esprit s'éclaircit. Cependant, il ne lui vint aucun trait de génie, aucun savoir merveilleux – hormis une idée fixe : ils devaient lutter coûte que coûte contre cette tristesse, contre le sentiment que leur combat était perdu d'avance, sous peine de courir à une défaite assurée.

Il leur fallait quelque chose qui les arrache à leur chagrin, quelque chose qui leur insuffle une bouffée d'optimisme.

Lief se tourna vers le Ralad, assis, la tête penchée, les mains jointes entre les genoux.

— Joue pour nous, Manus, l'implora-t-il. Emmène-nous en pensée à une époque et dans un lieu autres que ceux-ci.

Manus le dévisagea, surpris, puis fouilla dans son sac et en sortit sa flûte de bois. Il hésita, la porta à ses lèvres et se mit à souffler dedans.

La musique s'éleva en vagues mélodieuses, emplissant l'air sans vie de beauté. L'instrument évoquait une eau pure comme le cristal coulant telle une ombre émeraude, des oiseaux chantant dans de verts feuillages, des enfants en train de s'amuser et des amis riant, des fleurs dressant leurs corolles vers le soleil.

Lief eut l'impression que ses épaules s'allégeaient d'un poids accablant. Il vit renaître l'espoir sur les visages de ses trois compagnons. À présent, les enjeux de leur lutte réapparaissaient clairement.

Il ferma les paupières pour mieux apprécier la mélodie. Aussi n'aperçut-il pas la traînée de bulles qui fendait la surface du Lac à mesure que quelque chose s'approchait en silence de la rive.

Puis, soudain, la musique se tut. Lief ouvrit les yeux et considéra Manus avec étonnement. Le Ralad s'était figé, la flûte toujours à ses lèvres, son regard vitreux de peur fixé droit devant lui. Au ralenti, Lief pivota.

Soldeen.

L'eau boueuse ruisselait de son dos, des dépressions et protubérances de sa peau marbrée. Il se hissa sur la berge, imprimant un creux profond dans la vase. Il était colossal – beaucoup plus qu'ils ne l'avaient imaginé. D'un bond, il était capable de les atteindre, de les broyer tous d'un seul coup de ses terribles mâchoires.

Et pourtant, il n'attaquait pas. Il les observait, attendant.

— Reculons ! marmonna Barda à voix basse. Éloignons-nous sans hâte...

— NE BOUGEZ PAS !

L'ordre cingla l'air comme la lanière d'un fouet, les pétrifiant sur place.

Terrifiés, ils contemplèrent le monstre, incapables de croire que c'était lui qui avait parlé. Soldeen tourna ses yeux de braise vers Manus.

— JOUE ! commanda-t-il.

Manus, tremblant, obligea ses lèvres et ses mains à bouger. Enfin, la musique s'éleva de nouveau. Hésitante et légère au début, elle gagna bientôt en puissance.

Soldeen, à demi hors de l'eau, ferma les paupières. Aussi immobile qu'une statue, il leur faisait face, telle une gargouille hideuse. La vase séchait peu à peu sur sa peau, la marquant de stries grumeleuses.

Lief sentit qu'on lui effleurait la jambe – Manus lui donnait de légers coups de pied.

Tu tiens là une chance inespérée, disait son regard. *Escalade les rochers et reprends le défilé pendant que je distrais son attention.*

Lief n'osait pas bouger d'un millimètre. Jasmine tourna la tête vers lui avec impatience. *Va !* lui intimait son froncement de sourcils. *Tu as la Ceinture. Il faut que toi au moins survives, sinon tout sera perdu.*

Mais il était trop tard. Soldeen avait rouvert les yeux et, cette fois, les rivait sur Lief.

— Pourquoi êtes-vous venus dans ce lieu interdit ? gronda-t-il.

Lief s'humecta les lèvres.

— N'essaie pas de me mentir, l'avertit la bête. Car je le saurai et je te tuerai.

La musique de la flûte palpita et se tut, comme si Manus avait brusquement perdu le souffle.

— JOUE ! rugit Soldeen sans détacher son regard de Lief.

Frémissant, le Ralad obéit.

Lief avait pris sa décision. Il leva le menton.

— Pour y chercher une pierre qui est pour nous de la plus haute importance, répliqua-t-il d'une voix claire par-dessus le son léger de la flûte. Elle est tombée du ciel, dans ce Lac, voilà plus de seize ans.

— Que sais-je du temps ? siffla la bête. Mais... je connais l'existence de la pierre. Et je n'ignorais pas que quelqu'un viendrait un jour la prendre.

Lief se contraignit à poursuivre, malgré sa gorge serrée.

— Sais-tu où elle est ? demanda-t-il.

— On me l'a confiée, grommela Soldeen. C'est ma récompense, mon lot de consolation – mon unique réconfort dans ce lieu d'amertume et de solitude. Crois-tu que je te laisserai me la dérober sans contre-partie ?

— Dis ce que tu veux ! s'écria Barda. Si cela est en notre pouvoir, nous paierons le prix. Nous partirons en quête de ce que tu...

Soldeen siffla et parut sourire.

— C'est inutile, répliqua-t-il doucement. Je vous remettrai la pierre en échange d'un... compagnon.

Et tournant son énorme tête, il regarda Manus.

15

La sorcière

Lief sentit un frisson lui glacer le dos. Il déglutit.

— Nous ne pouvons... commença-t-il.

— Donnez-moi le petit homme, insista Soldeen. J'aime son visage et la musique qu'il joue. Il m'accompagnera dans le Lac et s'installera sur le rocher qui pleure. Il jouera pour moi au fil des jours sans fin et des nuits solitaires. Il soulagera ma souffrance tant qu'il aura un souffle de vie.

Jasmine étouffa une exclamation. Manus s'était levé et s'avançait vers le monstre.

Barda saisit le bras du Ralad.

— Non, Manus !

Le petit homme, blanc comme un linge, redressait fièrement la tête. Il s'efforça de se libérer de l'étau.

— Il souhaite me rejoindre, siffla Soldeen. Laissez-le venir.

— Certainement pas ! hurla Jasmine en l'attrapant par l'autre bras. Nous ne lui permettrons pas de se sacrifier pour nous !

Les piquants se hérissèrent sur le dos de Soldeen.

— Donnez-le-moi ou je vous tue ! Je vous déchiquetterai et les créatures de la vase vous dévoreront jusqu'à l'os.

Une vague de colère submergea Lief, le brûlant comme du feu.

D'un bond, il se plaça devant Manus, lui faisant une barrière de son corps, tandis que Barda et Jasmine le protégeaient de chaque côté.

— Eh bien, vas-y ! brailla-t-il en tirant son épée. Mais dans ce cas, tu tueras également ton compagnon, car tu es trop gros pour ne prendre que l'un de nous sans les autres.

Soldeen fit un brusque mouvement en avant.

— C'EST CE QUE NOUS ALLONS VOIR !

Lief banda ses muscles en prévision de l'assaut. Au dernier moment, cependant, la bête se tordit comme un serpent, et trois des piquants semblables à des lances sous ses yeux se glissèrent sous le bras de Lief, déchirant sa chemise et s'insinuant dans les plis de la cape.

Soldeen, d'un coup de tête, projeta Lief loin de Manus et le déséquilibra. Pendant deux terrifiantes secondes, il resta suspendu dans les airs, cherchant sa respiration alors que les cordons du vêtement s'enfonçaient dans sa gorge et l'étranglaient.

Les oreilles bourdonnantes, un voile rouge devant les yeux, Lief sentit qu'il allait perdre conscience. La cape avait un double nœud impossible à défaire. N'ayant d'autre choix, il fit appel à ce qui lui restait de force et, se contorsionnant, sauta et attrapa un des piquants.

Aussitôt, l'étau autour de son cou se desserra. Haletant, il se hissa jusqu'à chevaucher la lance et se plaça à la hauteur de l'œil de la bête.

Sa chemise était en lambeaux et il frissonna au contact de la peau visqueuse, écailleuse de Soldeen. Il tint bon, pourtant, et s'approcha encore, tenant son épée d'une main ferme.

— Jette-moi dans la vase pour me noyer, si ça te chante, Soldeen, déclara-t-il. Mais dès que nous nous serons éloignés de la rive, mes amis s'enfuiront. Et je plongerai mon épée dans ton œil avant de mourir, je t'en fais le serment ! Te plaira-t-il de vivre à demi aveugle dans ce lieu humide et froid ? Ou cela t'est égal ?

Le monstre ne bougeait pas d'un poil.

— Laisse partir notre ami, Soldeen, le pressa Lief. Il a enduré de longues souffrances et vient à peine de recouvrer sa liberté. C'est pour nous aider qu'il est venu ici. Dis-toi bien que nous ne te le livrerons jamais. Tu ne l'auras pas, quoi que puisse nous coûter notre refus !

— Tu... es prêt à mourir pour lui, grogna finalement la bête. Et lui... pour toi. Et chacun de vous donnerait... tout... pour votre cause. Je me rappelle... je crois me rappeler... une époque où, moi aussi... il y a longtemps. Si longtemps...

Les yeux étrécis, Soldeen s'était mis à osciller, geignant et secouant la tête.

— Je ne sais pas... ce qui m'arrive, gémit-il. Mon cerveau... brûle... s'éclaircit. Je distingue... des images d'un autre temps, d'un autre endroit. Que m'as-tu fait ? Par quelle sorte de sorcellerie... ?

À cet instant, Lief s'aperçut que la Ceinture de Deltora et la topaze se pressaient contre la peau de la créature.

— Ce n'est pas de la sorcellerie, mais la vérité que tu vois, chuchota-t-il. Ce que tu vois est réel...

Les yeux de Soldeen luisaient au clair de lune, non plus ceux d'une bête féroce, mais d'une créature emplie d'une souffrance sans nom. Soudain, Lief se rappela les iris d'or du gardien du pont et comprit.

— Aide-nous, Soldeen, souffla-t-il. Accorde sa liberté à Manus et donne-nous la pierre précieuse. Au nom de celui que tu fus jadis. Au nom de ce que tu as perdu.

Les yeux tourmentés s'assombrirent, puis parurent lancer des éclairs.

Lief retint son souffle. Effrayés, Barda, Jasmine et Manus se serrèrent les uns contre les autres sur les rochers, n'osant bouger.

— Je vous aiderai, déclara Soldeen.

Lief sentit le regard de ses amis rivé à lui quand Soldeen se glissa de nouveau dans le Lac et quitta la rive. Il savait que sa vie ne tenait qu'à un fil. À tout instant, le monstre pouvait se raviser, le faire basculer dans l'eau grasse et, de rage, le dépecer.

Mais bientôt il oublia sa peur et ses doutes... La Ceinture de Deltora se réchauffait contre sa peau. Elle percevait la proximité d'une autre pierre...

Soldeen avait presque atteint le rocher qui pleure. L'eau avait creusé des crevasses et des trous profonds dans sa surface lisse. À la douce clarté de la lune, le rocher ressemblait à une femme, la tête inclinée sous le poids du chagrin, les larmes ruisselant d'entre ses mains.

Le cœur battant à grands coups, Lief aperçut, au creux de l'une d'elles, un objet insolite.

C'était une énorme pierre précieuse de couleur rose foncé. Les gouttes d'eau la cachaient complètement de la berge. Même de près, il n'était pas facile de la voir.

— Prends-la, siffla Soldeen.

Peut-être regrettait-il déjà sa promesse, car il détourna la tête, comme s'il ne pouvait supporter de regarder Lief saisir la gemme.

Lief ouvrit les doigts et observa son trophée. Peu à peu, son excitation se transforma en désarroi. C'était assurément l'une des pierres précieuses qu'ils cherchaient – la Ceinture était si chaude que ses vêtements humides fumaient. Toutefois, si sa mémoire ne lui jouait pas des tours, aucune pierre de la Ceinture de Deltora n'était rose. Et pourtant celle-là l'était, indéniablement, et semblait même pâlir encore à mesure qu'il la contemplait.

Ou bien était-ce que la lumière avait changé ? Un léger nuage masquait à présent la lune, de sorte que l'astre nocturne semblait briller à travers un halo de brume. Les étoiles elles-mêmes avaient perdu de leur éclat. Lief frissonna.

— Que se passe-t-il ? gronda Soldeen.

— Rien ! s'empressa de répondre Lief en refermant la paume sur son trésor. J'ai la pierre. Nous pouvons regagner la rive.

Il se retourna et adressa des signes à ses trois amis, blottis sur les rochers. Ils levèrent les bras et poussèrent des cris de triomphe.

« L'émeraude est verte, songea Lief, alors que Soldeen faisait demi-tour. L'améthyste, pourpre. Le lapis-lazuli, bleu foncé, parsemé d'argent comme les étoiles ; l'opale, elle, est de toutes les couleurs de l'arc-en-ciel, le diamant, aussi clair que la glace, le rubis, rouge...

Le rubis... »

Des mots lui vinrent à l'esprit, aussi nets que s'il les lisait dans *La Ceinture de Deltora*.

✝ **Le rubis, symbole de bonheur, rouge comme le sang, pâlit en présence du mal ou lorsqu'un malheur menace...**

« Le rubis est rouge, se dit Lief. Le rubis pâlit en présence du mal... Et qu'est-ce que du rouge pâle, sinon du rose ? »

La gemme dans sa main était le rubis, et le mal émanant du Lac la vidait de sa somptueuse couleur. À présent, elle n'était pas plus foncée que sa paume.

Une peur terrible s'empara de lui.

— Soldeen ! s'écria-t-il. Nous devons...

À cet instant, une zébrure aveuglante déchira la brume. Dans un vacarme effroyable, une fumée jaune et fétide s'en déversa, transformant le Lac en un cloaque bouillonnant et empuantissant l'air d'épaisses vapeurs suffocantes.

Et, au cœur de ce nuage, une créature imposante d'un vert phosphorescent flottait au-dessus de l'eau. Sa chevelure argentée, comme animée de vie, crépitait et ondoyait autour de son beau visage.

— Thaegan !

Il semblait que le Lac tout entier prononçait son nom en gémissant. Chaque créature, jusqu'aux rochers eux-mêmes, paraissait se ratatiner et trembler.

La sorcière eut un rire moqueur.

Elle pointa le petit doigt de sa main gauche sur Soldeen, et un trait de lumière sulfureuse vola vers lui, le frappant entre les yeux.

La bête hurla, se tordant et se roulant, en proie à d'atroces souffrances. Lief fut catapulté dans le Lac et le gros rubis lui échappa, montant haut dans les airs. Horrifié, Lief cria et tenta en vain de le happer au vol.

La gemme décrivit un large demi-cercle et commença à redescendre vers les eaux bouillonnantes. Haletant, se débattant dans l'écume fangeuse, Lief la vit tomber dans une profonde crevasse du rocher qui pleure et disparaître.

— Tu ne l'auras jamais ! brailla Thaegan, la voix emplie de fureur. Toi... qui as osé t'aventurer sur mes terres ! Toi qui as libéré une de mes créatures et obligé une autre à t'obéir ! Toi qui as tué deux de mes enfants et qui as nargué mon pouvoir ! Je t'ai pisté et trouvé. À nous deux, à présent !

Elle leva la main, et Lief fut balayé comme un fétu de paille vers la berge. Les yeux, le nez et la bouche pleins d'eau nauséabonde, il heurta et écrasa dans sa course mille et une choses innommables.

À demi noyé, il se retrouva sur la rive. Toussant et suffoquant, il rampa dans la boue, à peine conscient que Barda, Jasmine et Manus se précipitaient vers lui.

Ils le mirent debout et le traînèrent vers les rochers.

Mais Thaegan était déjà là, leur barrant la route, ses cheveux d'argent flottant dans la fumée, son corps vert scintillant.

— Tu ne m'échapperas pas, siffla-t-elle. Tu ne t'échapperas jamais.

Barda se jeta sur elle, son épée pointée droit sur son cœur.

— Une goutte de ton sang, Thaegan ! s'exclama-t-il. Une seule goutte, et tu seras détruite !

La sorcière éclata d'un rire strident tandis que la lame déviait avant qu'elle ne la touche. Barda, projeté violemment en arrière, s'étala de tout son long dans la vase. Kree poussa un cri rauque quand Jasmine s'élança pour prendre la place du colosse. Repoussée avec une force plus grande encore, elle trébucha sur Barda et Manus, et les entraîna tous deux dans sa chute.

Réduits à l'impuissance, ils essayèrent tant bien que mal de se remettre sur leurs pieds.

Thaegan sourit. Lief, l'estomac soulevé, vit son beau visage glisser tel un masque pour révéler une hideuse face de démon.

— Vous voilà maintenant là où vous devez être ! cracha-t-elle. À mes pieds, rampant dans la boue !

Kree poussa un autre cri rauque et fondit sur elle, s'efforçant de la heurter de ses ailes. Elle se tourna vers lui, et ses yeux brillèrent de convoitise.

— Kree ! hurla Jasmine. Éloigne-toi d'elle !

Thaegan rit et pivota pour faire face à la jeune fille.

— L'oiseau noir dont je vais me délecter, lança-t-elle avec hargne. Mais toi... tu ne sauras rien de ses tourments.

Montrant les dents, elle parcourut ses victimes d'un regard empli de haine triomphante.

— Vous allez devenir partie prenante de ma création. Bientôt vous oublierez tout ce que vous avez pu chérir autrefois. Malades de dégoût devant votre laideur, vous nourrissant de vers au sein des ténèbres glacées, vous vous traînerez à jamais dans la fange en compagnie de Soldeen.

16

Le combat pour la liberté

Thaegan brandit son poing serré au-dessus d'eux. Sa main étincela, verte et dure comme du verre. La fumée jaune tourbillonnait en volutes tandis que Kree voletait, farouche, autour de sa tête. En pure perte. Lief, Barda, Jasmine et Manus voulurent courir et chancelèrent. Riant de leur terreur, Thaegan leva le petit doigt, prête à frapper. Son extrémité, d'une blancheur spectrale, luisait dans la pénombre.

Telle une flèche noire, Kree fendit le nuage de fumée. Avec un claquement brutal, son bec aiguisé frappa et frappa le bout du doigt aussi pâle que la mort.

Rage, choc, douleur... La sorcière hurla et fit lâcher prise à l'oiseau qu'elle projeta au loin. Cependant, du sang rouge vif sourdait déjà de la blessure et gouttait lentement vers le sol.

Les yeux de Thaegan s'agrandirent. Son corps frissonna, se tordit et se contorsionna, du même jaune que la fumée toujours en suspens autour d'elle. Sa face se métamorphosa en une masse informe sous les yeux horrifiés de ses victimes.

Et soudain, avec un sifflement strident, elle commença à se ratatiner, à se friper, à s'affaisser sur elle-même tel un fruit pourrissant oublié au soleil.

Le visage dans la boue, Lief s'enveloppa la tête de ses bras afin d'échapper à l'atroce vision et à l'horrible bruit. Il entendit Soldeen mugir dans le Lac derrière lui... De triomphe ou de terreur ? Ensuite, dans un grondement bas, épouvantable, la terre trembla et se souleva. Les eaux du Lac enflèrent et s'écrasèrent sur la rive, heurtant le dos de Lief en un déferlement de vagues glacées.

Terrifié à l'idée d'être aspiré dans les profondeurs insondables, Lief se jeta en avant, se traînant à l'aveugle à travers l'écume. Il entendait de très loin Jasmine et Barda s'appeler l'un l'autre, appeler Manus et lui-même. Il toucha une surface rocheuse et, dans un ultime effort désespéré, il s'arracha à la boue tournoyante et se hissa sur la terre ferme. Il s'y cramponna, son souffle se brisant dans sa gorge douloureuse.

Et, d'un coup, tout devint silencieux.

La peau lui picotait. Lief leva la tête. Barda et Manus gisaient à côté de lui, le teint blafard, mais vivants. Jasmine était accroupie à quelques mètres, tenant Kree sur son poignet et un Filli trempé comme une soupe dans ses bras. Là où s'était tenue Thaegan, il n'y avait rien d'autre qu'une tache jaune sur le roc.

La sorcière était morte. En tentant de l'empêcher de lancer son sortilège, Kree l'avait blessée au seul endroit de son corps dépourvu de protection – le bout de son auriculaire qu'elle utilisait pour jeter ses maléfices.

Le dénouement était proche. Un prodige était sur le point de se produire, Lief le pressentait. Les nuages s'étaient dissipés et la pleine lune baignait le paysage d'un flot de lumière aveuglante. L'air lui-même paraissait miroiter.

Et le silence ! On aurait dit que la terre, en attente, retenait son souffle.

Lentement, Lief se retourna. La tempête avait quasiment asséché le Lac. Désormais, il n'était plus qu'une vaste étendue d'eau peu profonde brillant au clair de lune. Une multitude de créatures visqueuses s'agglutinaient sur son pourtour et sur sa rive aplanie.

Soldeen, immobile près du rocher qui pleure, la tête levée, fixait le disque d'argent comme s'il le voyait pour la première fois. Lief, qui l'observait, perçut un long soupir. Puis Soldeen se volatilisa purement et simplement... laissant la place à un homme doré de grande taille à la chevelure cuivrée.

Le rocher qui pleure frémit et se fendit de haut en bas. Les deux moitiés s'évaporèrent en un nuage de fine poussière scintillante, d'où émergea une jeune femme. Elle était dorée, elle aussi, mais avait des cheveux noirs comme la nuit. Dans sa main levée reposait une énorme pierre rouge.

Lief se remit debout en chancelant. Choqué, incrédule, il voulut crier, manifester sa joie... Incapable d'émettre le moindre son, il ne pouvait que contempler l'homme et la femme qui, leurs mains entrelacées, s'avançaient vers lui.

Et, tandis qu'ils marchaient, regardant autour d'eux avec les yeux émerveillés de ceux qui ne parviennent pas à croire à leur bonheur, le décor se transforma.

La terre, sous leurs pieds, se couvrait d'herbe et de fleurs. Couleurs et vie naissaient à chacun de leurs pas. Souches rabougries et rochers stériles se muaient en mille et une variétés d'arbres. De l'argile tombait en nappes des pics déchiquetés, révélant des tours étincelantes, de somptueuses demeures, des fontaines jaillissantes. Un son pur et mélodieux de cloches faisait vibrer l'air.

Au bord du Lac, les créatures à leur tour changeaient d'aspect, et des gens dorés se levaient du sol, étourdis de leur long sommeil, murmurant, pleurant, riant. Des oiseaux ébouriffaient leurs plumes et prenaient leur envol, chantant à tue-tête. Des insectes stridulaient. Des animaux à fourrure bondissaient, détalaient dans l'herbe.

Barda, Jasmine et Manus vinrent se placer derrière Lief. L'homme qui avait été Soldeen et la femme qui avait partagé son tourment sans fin arrivaient presque à sa hauteur... Et pourtant, Lief eut envie de se pincer pour s'assurer que la scène était réelle.

— Cela peut-il être vrai ? murmura-t-il.

— Si tel n'est pas le cas, alors nous faisons tous le même rêve, déclara une voix enjouée qu'il ne connaissait pas.

Lief pivota et vit Manus, qui lui souriait.

— Manus... Tu parles ! glapit-il.

— Eh oui ! Thaegan morte, ses sortilèges ont été brisés, expliqua joyeusement le Ralad. Les peuples de Raladin et de D'Or ne seront pas les seuls à marquer de la reconnaissance à votre vaillant oiseau noir, foi de Manus !

Fièrement perché sur le poignet de Jasmine, Kree gloussa et gonfla le poitrail.

— Ainsi qu'à toi.

La voix profonde, tranquille, avait un je-ne-sais-quoi de familier. Lief se retourna et croisa le regard grave de l'homme qui avait été Soldeen.

— Nous nous sommes rencontrés en ennemis, poursuivit l'homme. À présent, enfin, nous nous parlons en amis. (Ses yeux gris se réchauffèrent.)

Je m'appelle Nanion. Et voici ma femme, Ethena. Nous sommes les souverains de D'Or, et nous te devons notre liberté.

La femme sourit, et sa beauté fut pareille à celle d'un ciel d'été radieux.

Lief cilla, ébloui. Puis il s'aperçut qu'elle tendait la main vers lui. Le rubis scintillait de tous ses feux dans sa paume.

— Tu en as besoin, je crois.

Lief hocha la tête, déglutit et prit la gemme. La Ceinture devint brûlante autour de sa taille. Il voulut la dégrafer, hésita – Manus, Nanion et Ethena l'observaient.

— Ton secret, si secret il y a, sera bien gardé avec nous, pépia Manus.

Il s'éclaircit la gorge, l'air surpris d'entendre le son de sa voix.

— Il le sera, déclara Ethena. Pendant un siècle, nous avons vécu une semi-vie pire que la mort. Notre pays a été dévasté, nos âmes ont été emprisonnées. Grâce à toi, nous sommes libres. Notre dette envers vous est éternelle.

Barda sourit, amer.

— Je l'espère, répliqua-t-il. Car si notre quête aboutit, votre aide nous sera nécessaire.

Il fit un geste du menton à l'adresse de Lief. Celui-ci ôta la Ceinture et la posa à ses pieds sur le sol.

Manus, ses petits yeux noirs écarquillés, étouffa une exclamation.

— La Ceinture de Deltora ! souffla Nanion. Mais... mais comment est-elle en ta possession, si loin de Del ? Et où sont les sept pierres précieuses ? Je n'en vois qu'une !

— Deux, bientôt.

Lief glissa le rubis dans le médaillon à côté de la topaze. La gemme se mit à rutiler, écarlate sur l'acier. Le rubis, symbole du bonheur... Lief éprouvait pour lui une fascination grandissante.

Ethena et Nanion s'étaient approchés, leurs visages dorés pâles à la lumière de la lune.

— Ce que nous redoutions s'est donc produit, murmura Ethena. Ce qu'avait promis Thaegan avant de nous exiler dans ce lieu de désolation. Le Seigneur des Ténèbres est bel et bien venu. Le sort de Deltora est scellé...

— Non ! se récria Jasmine, farouche. Pas plus que ne l'était celui de D'Or ! Ou le vôtre !

Nanion la dévisagea, intrigué par sa colère. Puis il sourit.

— Tu as raison, dit-il doucement. Aucune cause n'est perdue tant que des êtres pleins de bravoure refusent de céder au désespoir.

Lief souleva la Ceinture et la passa à sa taille. Elle était plus lourde qu'avant, semblait-il. Oh, à peine... mais assez pour gonfler son cœur de joie.

Des clameurs, des cris et des chants montèrent de la vallée. Les gens avaient aperçu Nanion et Ethena, et ils s'élançaient vers eux.

Ethena posa la main sur le bras de Lief.

— Restez quelque temps parmi nous, le pressa-t-elle. Ici, vous pourrez vous reposer, fêter l'événement, connaître la paix. Et restaurer vos forces en prévision du voyage à venir.

Lief regarda à la dérobée Barda, Jasmine et Manus. Leur expression lui confirma ce qu'il savait déjà : D'Or était magnifique, l'air y était doux, mais...

— Non, merci, répondit-il. On nous attend... à Raladin.

Les quatre amis firent leurs adieux aux souverains et les laissèrent à leur peuple. Les cloches sonnant à toute volée à leurs oreilles, ils escaladèrent les rochers, s'engagèrent dans le défilé, reprenant en sens inverse le chemin qu'ils avaient suivi à l'aller.

Ils laissaient derrière eux un bonheur sans mélange. Et ils imaginaient déjà celui des Ralads.

« Cinq ou six jours de repos, songea Lief. Cinq ou six jours consacrés aux récits, aux rires, à la musique avec des amis. Et puis... un nouveau périple, une nouvelle aventure. »

Ils avaient retrouvé deux pierres précieuses.

La troisième les attendait.

Retrouve vite Lief,
Barda et Jasmine
dans le tome 3 de

LA QUÊTE DE DELTORA

La Cité des Rats

Éditions
SCHOLASTIC

Table

Cet ouvrage a été composé par
PCA - 44400 REZÉ

IMPRIMÉ EN FRANCE PAR BUSSIÈRE
à Saint-Amand-Montrond (Cher)

Dépôt légal : avril 2008
N° d'impression : 080390/1

Éditions
SCHOLASTIC

604, rue King Ouest
Toronto (Ontario) M5V 1E1 CANADA